D1132564

NOM DE DIEU !

Philippe Grimbert est un écrivain et psychanalyste français. Passionné de musique et de danse, il a publié des essais (*Psychanalyse de la chanson*, *Pas de fumée sans Freud*, *Chantons sous la psy, Évitez le divan, Avec Freud au quotidien*) et est aussi l'auteur de plusieurs romans : *La Petite Robe de Paul*, *La Mauvaise Rencontre, Un garçon singulier, Rudik, l'autre Noureev* et *Un secret*, récompensé par le prix Goncourt des lycéens en 2004, le prix des Lectrices de *Elle* en 2005 et adapté au cinéma par Claude Miller en 2007.

Paru dans Le Livre de Poche :

AVEC FREUD AU QUOTIDIEN

LA MAUVAISE RENCONTRE

LA PETITE ROBE DE PAUL

UN GARÇON SINGULIER

UN SECRET

PHILIPPE GRIMBERT

Nom de dieu !

ROMAN

GRASSET

ISBN : 978-2-253-18273-3 – 1re publication LGF

A la mémoire d'un frère,
Claude Miller.

Prologue

Les nuits de Baptiste se peuplaient de visions et lorsque, trempé de sueur, il se levait pour tenter de les dissiper, c'était pour entendre sous ses pieds l'odieux crissement de la cellophane : durant son sommeil, une épaisse couche de sucettes et de friandises avait recouvert la moquette de la chambre conjugale. Que signifiaient ces hallucinations ?

Et que dire de la Voix qui le menaçait ? Son chuchotement sucré le faisait sursauter, puis se redresser hagard, le cœur palpitant. Qui lui en voulait ainsi ? Cette question le taraudait depuis des mois. Et pourquoi ? se surprenait-il parfois à demander à son invisible persécuteur, lequel répondait, plus ironique que jamais : *« Mais oui, pourquoi ? Pourquoi est-ce à toi que cela doit arriver, toi qui ne veux que le bien, toi qui ne commets aucune action coupable, rien qui puisse te valoir le malheur qui va fondre sur toi ? C'est vrai, tout cela est parfaitement injuste, Baptiste… mais l'ensemble de la Création n'est-elle pas placée sous le signe de l'injustice ?* »

Voilà ce que, nuit après nuit, lui disait la Voix.

Baptiste n'osait parler à Constance de ses tourments, conscient du déplorable tableau psychique qu'il offrirait à son épouse. Si sa fervente prière du soir ne suffisait plus depuis longtemps à écarter les ombres, sa confiance en Dieu demeurait cependant intacte. Il ne pouvait s'agir que d'une mise à l'épreuve : il en triompherait à l'aide de sa foi, celle-là même que la Voix tentait d'ébranler avec ses sarcasmes.

Les échos d'un joyeux bavardage au rez-de-chaussée, le tintement de la vaisselle du petit déjeuner, un éclat de rire des jumelles, tout aurait dû placer cette matinée sous les meilleurs auspices, si ses visions de la nuit n'avaient encore une fois bouleversé Baptiste. Il s'arrêta sur le seuil de la cuisine et contempla ses deux filles. Elles arboraient leurs moustaches de chocolat en se taquinant, sa femme les pressait de terminer leurs tartines et Baptiste poussa un soupir de soulagement : oubliés pour le moment, la Voix et ses sarcasmes, disparu le tapis crissant de friandises. Il chercha du regard la complicité de Constance qui, seule ombre à planer encore sur cette scène idyllique, ne lui rendit pas son sourire.

Il embrassa tendrement chaque membre de la maisonnée et descendit au garage où l'attendait le monospace familial. Sortant de son portefeuille le crucifix suspendu à sa chaîne d'or fin – un cadeau de Constance pour son anniversaire –, il l'accrocha au rétroviseur. Il le préférait au traditionnel saint Christophe, s'amusant souvent – car il savait faire preuve d'humour – à affirmer qu'en matière de sécurité routière, il valait mieux s'adresser à Dieu qu'à ses saints. Lorsque le portail automatique ouvrit ses vantaux il se retourna pour apercevoir Constance et les deux filles qui, comme à leur habitude, agitaient la main sur le perron du pavillon. Encore une fois son cœur se gonfla d'allégresse à ce spectacle, laissant loin derrière lui les épreuves de la nuit passée, et *Jésus que ma joie demeure*, diffusé à point nommé par Radio Notre-Dame, lui ouvrit une route sereine jusqu'à l'usine Amico, où il occupait un poste important.

La circulation était dense mais le choral de Bach allégea son parcours. Il songea, en haussant les épaules, à la sottise de cette affirmation selon laquelle l'existence de Dieu devrait beaucoup à l'auteur des cantates. Son cœur saignait à l'idée que les ennemis du Créateur se fissent de plus en plus nombreux et que l'incroyance gagnât du terrain dans une société si tristement matérialiste, pendant qu'un fanatisme tout aussi inquiétant embrasait d'autres régions du monde. Abandonné, mal aimé ou récupéré, Dieu, de nos jours, était décidément bien malmené. Ces pensées amères ne l'empêchèrent cependant pas de tapoter sur le volant de son véhicule, en harmonie avec la musique céleste. Celle-ci lui permit d'afficher une superbe indifférence aux coups de klaxon et aux insultes qui émaillèrent son trajet.

Par-dessus les hangars et les bâtiments, Baptiste pouvait déjà apercevoir la gigantesque sucette lumineuse qui tournait inlassablement sur le toit de l'usine Amico. Arrêté à un feu, alors qu'il se laissait aller à ses rêveries, il fut surpris par un léger choc sur sa vitre : dépenaillé, souriant du peu de dents qui lui restaient, un SDF exhibant une manche vide frappait du coude à sa portière, tendant avec insistance sa main valide. Baptiste sentit son cœur se serrer à la vue de la parka élimée, des bouts de ficelle tenant lieu de lacets et du pantalon maculé du malheureux. Il baissa sa vitre, rendit à l'homme son sourire et le salua amicalement. Tout sauf l'indifférence, avait-il coutume de dire, tout sauf le regard qui traverse la misère et rend transparents, voire invisibles, ceux qui dérangent le confort des nantis.

La main aux ongles noirs se tendit avec un

peu plus d'insistance ; Baptiste fouilla dans la poche de sa veste, celle où d'ordinaire il conservait quelque monnaie, mais il se souvint avoir changé de costume le matin même et n'y trouva que le ticket du pressing. La boîte à gants ne contenait quant à elle qu'un paquet de mouchoirs en papier et un bonbon Amico, oublié là par l'une de ses filles, le célèbre Trichoco qui avait beaucoup fait pour la réputation de la marque. En désespoir de cause il le déposa dans la main du SDF, conscient de l'aspect dérisoire de son offrande :

— Désolé, je n'ai rien d'autre sur moi… mais croyez bien que je comprends votre situation !

Puis, désignant la main coupée de l'homme, dont le sourire édenté avait déjà considérablement diminué :

— Que vous est-il arrivé ?

— Main partie, guerre Yougoslavia, moi trois enfants, moussieur, s'il te plaît…

— Mais puisque je vous dis que je n'ai rien sur moi ! Je vous assure que je regrette…

Le feu venait de passer au vert et quelques coups de klaxon commençaient à retentir. Baptiste ne pouvait se résoudre à démarrer sous le nez du malheureux en ne lui laissant pour obole que le Trichoco qui avait ranci au fond de la boîte à gants. Il lui fallait au moins consacrer un peu de son temps à cet homme en détresse. Le temps c'est de l'argent, songea-t-il amèrement, mais ces quelques mots échangés avec le miséreux sonneraient sans doute moins agréablement aux oreilles de celui-ci que le tintement de deux ou trois piécettes, Baptiste n'en était pas dupe.

C'est alors que l'homme avisa le crucifix doré suspendu au rétroviseur :

— Donne la kroi à moi, Dieu bon comme toi, donne la kroi...

Il tendit la main pour s'en saisir, aussitôt empêché dans son geste par la poigne bienveillante, mais ferme de Baptiste :

— Croyez bien que je compatis avec votre détresse, mais ça non ! Je ne peux pas vous le laisser, c'est un cadeau de ma femme, vous comprenez ? Cadeau. Très cher... à mon cœur. Mais vous parlez un peu le français, n'est-ce pas ? Il y a des centres d'accueil, vous savez...

Le concert de klaxons s'accentua et Baptiste eut un geste d'impatience à l'intention des véhicules qui s'accumulaient derrière lui.

— Des centres d'accueil où l'on peut vous héberger, vous et votre famille (il mima un toit), vous nourrir (il porta la main à sa bouche) en attendant mieux. A la paroisse

Saint-Louis d'Antin ils vous donneront des adresses, vous avez noté ? Saint (il mima une auréole) Louis, d'Antin, à Paris, près de la gare (il mima une locomotive) Saint (une nouvelle auréole) Lazare. Vous avez compris ?

Le SDF hocha la tête :

— Donne la kroi à moi, Dieu bon comme toi (il mima une auréole), donne la kroi...

Le concert d'avertisseurs atteignit son apogée. Derrière le SDF, qui avait commencé à mâchouiller le produit phare de chez Amico, une solide silhouette apparut, celle d'un camionneur descendu de son quinze tonnes et dont l'énervement n'annonçait rien de bon :

— Tu vas dégager maintenant ? On bosse, nous !

Baptiste, sûr de son fait, tenta de raisonner le chauffeur :

— Désolé de vous avoir fait attendre, mais comme vous le dites si bien, vous avez la chance de bosser, vous ! Vous ne croyez pas que ce malheureux aimerait en faire autant ? Est-ce que ça ne vaut pas que vous lui sacrifiiez un peu de votre temps ? Vous allez perdre quelques minutes, lui c'est une main qu'il a perdue ! Vous voulez échanger votre sort avec le sien ? Non, n'est-ce pas ? Alors, un peu de charité chrétienne, que diable !

Bien que fermement décidé à défendre sa position, Baptiste sut cependant se montrer sensible aux arguments de son interlocuteur et les dernières paroles du camionneur achevèrent de le convaincre de remonter sa vitre pour démarrer le plus rapidement possible :

— Charité chrétienne ! Mais c'est qu'il se fout de ma gueule, en plus ! Je vais lui défoncer sa caisse moi, à l'abbé Pierre !

Cette retraite précipitée, si elle sauva la carrosserie du monospace familial, évita surtout à Baptiste un douloureux spectacle, celui du SDF sortant de sa manche la main manquante pour lui adresser un vigoureux doigt d'honneur. Crachant avec dégoût le Trichoco dans le caniveau, l'homme à la parka élimée lança un regard mauvais à la voiture qui s'éloignait :

— Salauds de riches ! marmonna-t-il dans un français parfait à l'intention du fuyard.

C'est en voyant son mari à genoux, priant en caleçon et chaussettes sur la descente de lit, que Constance se surprit à penser qu'un homme pieux, ce n'est pas très sexy. Ce genre de réflexion – dont l'apparition se faisait plus fréquente de semaine en semaine – l'embarrassait profondément, aussi envisagea-t-elle d'en parler à son psychanalyste, avec lequel elle avait rendez-vous le lendemain. En attendant elle regarda, d'un œil qu'elle aurait voulu moins froid, Baptiste se relever et se défaire du peu qu'il portait pour aller enfiler la veste du pyjama bleu ciel à liseré marine dont il avait coutume de ne mettre que le haut, au cas où.

Elle referma doucement la porte de la chambre conjugale et descendit au salon, se demandant si elle allait céder à la tentation d'une cigarette. Elle y céda, un peu coupable, allant chercher le paquet qu'elle cachait au fond d'un tiroir afin que ni son mari ni ses filles ne sachent qu'elle s'adonnait à ce vice. La baie vitrée ouvrant sur la terrasse coulissa sans bruit et Constance s'installa sur la balancelle, contemplant le petit bassin dans lequel se reflétait la face blafarde de la lune.

Projetant vers les étoiles un long panache de fumée, elle commença à se détendre : la journée était finie, Jeanne et Bernadette étaient couchées, Baptiste dormait sans doute déjà – du moins l'espérait-elle – et elle se livra à un rapide bilan de son après-midi. Les gâteaux pour la kermesse refroidissaient dans le cellier, les courses pour la semaine étaient faites, la réunion de parents d'élèves l'avait rassurée : ses filles se maintenaient dans le peloton de tête, deux des mères présentes l'avaient d'ailleurs félicitée pour l'excellence du comportement des jumelles. L'une d'elles – la pharmacienne – avait même avoué en être un peu jalouse, elle dont le fils avait été mis à pied une semaine pour avoir partagé avec ses petits camarades une pilule bleue dont les vertus n'étaient plus à prouver, friandise dérobée sur les étagères de l'officine maternelle.

Alors comment expliquer cette tristesse ? Aucune raison véritable ne la justifiait, sinon le doute, ce terrible doute qui s'insinuait partout, ébréchant ses certitudes, s'acharnant depuis quelque temps à remettre en question le moindre de ses choix et, plus grave encore – elle osait à peine se l'avouer –, bousculant sa foi.

A qui en parler ? Il était hors de question de s'en ouvrir à Baptiste, sachant trop bien ce qu'il lui répondrait : le doute était l'œuvre du diable ; une bonne confession, suivie d'une solide pénitence, en viendrait rapidement à bout. Elle n'avait pas avoué à son époux qu'elle avait déserté le confessionnal depuis qu'elle fréquentait le cabinet du docteur Delastens et ce secret lui pesait. Elle aurait volontiers laissé ruisseler quelques larmes, mais la pensée lui vint que l'on s'aime un peu trop lorsque l'on pleure, aussi refusa-t-elle de se laisser aller à cette volupté. Il y avait déjà eu la cigarette, c'était assez pour ce soir. Elle écrasa son mégot avec un grand soupir et retourna au salon. Là encore rien ne lui parut à sa place, ni le tableau sur le manteau de la cheminée, ni la disposition du canapé d'angle, les bibelots dans la vitrine… elle-même, enfin, qui se sentait flotter dans un bonheur fragile, prêt à se briser. Il était décidément temps qu'elle monte se coucher.

Avant de rejoindre la suite parentale, elle éprouva le besoin de se glisser dans la chambre des filles pour déposer un baiser sur leur front, espérant que la quiétude de ces deux innocences à qui, pour les endormir, elle avait lu un épisode de la fuite en Egypte, allait atténuer sa mélancolie. Un souffle paisible troublait à peine le silence de la pièce, mais au moment où Constance remettait en place la couette de Jeanne, ornée de princesses Disney, un magazine tomba sur la moquette.

La faible lueur du couloir lui permit de distinguer deux visages sur la couverture : celui d'une fille aux multiples piercings accolé à celui d'un garçon arborant une crête turquoise, le tout surmonté d'un titre qu'elle déchiffra difficilement dans l'obscurité et qui fut loin de lui apporter l'apaisement attendu : « Deuxième semaine de *La Maison des secrets* : Kevin va-t-il coucher avec Charlyse ? »

Assise sur la dernière marche de l'escalier, le magazine *Stars intimes* entre ses mains tremblantes, Constance pesa toutes les éventualités : livrer aux flammes la sulfureuse publication dans l'incinérateur à déchets et faire à jamais silence sur l'accroc, réveiller la coupable et la sommer de s'expliquer sur-le-champ ou bien encore attendre le vendredi – jour du poisson – pour provoquer une réunion exceptionnelle d'examen de conscience, laquelle se tenait en général à la fin du mois. Elle opta pour cette dernière solution, dont elle discuterait auparavant avec Baptiste.

Elle pénétra dans la chambre obscure où résonnait le léger ronflement de son mari, renonça à se doucher malgré la tentation d'une onde purificatrice et voulut remiser le magazine dans le tiroir de sa table de nuit. A tâtons elle en chercha la poignée mais fit malencontreusement chuter un objet déposé sous sa lampe. Le choc, bien qu'amorti par la moquette, fit se retourner Baptiste qui grommela. Au toucher, elle comprit qu'il s'agissait de la Bible dont son mari lisait chaque soir quelques passages avant de s'endormir. Sans doute l'avait-il déposée de son côté du lit pour lui indiquer un extrait dont il souhaitait qu'elle s'imprègne.

Le plus délicatement possible elle se faufila entre les draps mais le mal était fait : Baptiste se tourna vers elle, se plaqua contre son dos et se saisissant d'une mèche de ses cheveux la tortilla entre ses doigts, signal qu'elle ne connaissait que trop bien. Les mains de Baptiste se mirent aussitôt en mouvement et se livrèrent à leur exploration coutumière, accompagnée de soupirs éloquents. Le moment était malvenu, mais Constance ne se voyait pas repousser son mari et se montra fidèle à son sens du devoir, fût-il conjugal.

Baptiste allait et venait avec une grande régularité mais Constance, toute à ses préoccupations, ne parvenait pas à surmonter les effets d'une anesthésie locale. Elle était sensible à ces preuves d'amour régulières, mais ce soir il lui parut impossible d'atteindre le moindre plaisir. Le va-et-vient s'accélérait et elle sentit poindre chez Baptiste le moment d'acmé où, d'ordinaire, tous deux se rejoignaient dans un harmonieux choral de gémissements. Elle songea bien à simuler mais, rangeant le mensonge dans la catégorie des péchés capitaux, elle ne pouvait se le permettre, même si quelques malheureux cris eussent mis fin à ce pensum. Elle tenta de puiser dans l'amour qui la liait à Baptiste la force de répondre à son désir, mais ce furent soit le doute envahissant, soit les piercings de Charlyse et la crête azurée de Kevin qui l'en éloignèrent. Baptiste perçut-il sa difficulté ? Toujours est-il qu'il se détacha d'elle pour plonger son visage entre ses cuisses, lui offrant cette caresse dont il savait qu'elle s'y abandonnerait avec délice. Il était dès lors plus facile à Constance de se laisser aller, mais les obstacles ne cédèrent pas aussi aisément.

L'espace d'un instant elle eut recours à l'évocation d'un verset du Cantique des Cantiques, dont le chant d'amour extatique raviva sa flamme sans pour autant lui permettre d'atteindre à l'embrasement. Mais au moment où elle allait désespérer surgit, à sa totale surprise – et à son total désarroi – la moustache du docteur Delastens. Au prix d'intenses efforts mentaux, elle parvint un court instant à écarter de son intimité l'ornement pileux de son psychanalyste, mais l'apparition revint à la charge avec une telle brutalité que cette bouche, dont elle attendait d'ordinaire l'interprétation oraculaire, la mena droit au plus violent plaisir qu'elle ait jamais connu.

Elle s'effondra, haletante, frémissante mais surtout désemparée sous les baisers de Baptiste, lequel, émergeant des profondeurs de la couette, lui mordillait ardemment le cou.

Contrairement à ce qui, d'habitude, advenait à la suite d'un coït satisfaisant, elle ne s'endormit pas sereinement.

Pour la première fois depuis des semaines, Baptiste se réveilla aux anges, détendu après une nuit sans chuchotements et sans orage de friandises. Le souvenir de l'étreinte de la veille et de l'intensité du plaisir qu'il avait procuré à son épouse lui promettait une journée apaisée : non seulement cet intermède torride avait fait fuir les ombres et taire – du moins pour le moment – la Voix malfaisante, mais encore il lui donnait la preuve que Constance était toujours aussi sensible à ses caresses, elle qui semblait si distante, ces derniers temps. Face au miroir de la salle de bains, il se décocha – comme il l'avait vu faire dans certains films américains – un affectueux uppercut. Après un dernier au revoir à sa famille rassemblée sur le perron il prit la route, la poche remplie de petite monnaie afin de ne pas revivre sa mésaventure de la veille.

Avant de rejoindre son bureau à l'étage des

cadres, il aimait faire un détour par la chaîne de fabrication. Il éprouvait une joie enfantine à contempler, derrière la vitre, la ronde d'une petite foule d'employés coiffés de bonnets chirurgicaux, un masque sur le bas du visage et qui s'affairaient, abeilles industrieuses dans les rayons d'une ruche. Un ballet de blouses bleu ciel se déployait pendant que défilaient sur des tapis roulants les lamelles de caramel recouvertes par des jets successifs de chocolat noir, blanc, puis au lait, prestement emballées dans le rutilant papier argenté de la marque Trichoco. Les moules à sucettes en forme d'étoile, de demi-lune ou de chapeau pointu se remplissaient d'une gelée multicolore qui durcissait dans l'instant, les rubans de réglisse encore brûlants jaillissaient comme des filins d'acier au sortir d'un haut fourneau, le tout dans un parfum entêtant de sucre cuit qui s'introduisait jusque dans les vestiaires du personnel, au premier étage. Cet univers où se mêlaient magie de l'enfance et haute technologie ne cessait de le ravir et il bénissait chaque jour le ciel de lui permettre de gagner sa vie dans une telle allégresse.

La matinée se déroula pour lui comme à l'ordinaire, avec son lot de mails à consulter, de commandes à vérifier avant la transmission au service expéditions, ainsi que de coups d'œil soucieux sur les statistiques qui, ces derniers temps, causaient quelques soucis à l'équipe de direction.

Lorsque sonna l'heure de la pause déjeuner, Baptiste descendit à la cantine. Il avait obtenu de haute lutte auprès du CVS (Conseil de la vie sociale) et du CHSCT (Comité d'hygiène, de sécurité et des conditions de travail) que du poisson soit proposé au self tous les vendredis, tradition qui tendait à tomber dans l'oubli, et il déposa sur son plateau une appétissante tranche de colin agrémentée de brocolis vapeur. Alors qu'il allait rejoindre l'équipe de la comptabilité qui discutait en riant à une grande table, il remarqua Ducatel, adjoint au service prospective, qui mangeait seul et dont la mine épouvantable l'alerta. Renonçant au plaisir d'une conversation animée avec les joyeux lurons du service voisin, il se dirigea vers le lugubre Ducatel qui leva sur lui un regard de chien battu.

— Ah, c'est vous Théaux... comment allez-vous ? articula l'adjoint d'une voix éteinte.

— Moi je vais très bien, grâce à Dieu, mais vous, Ducatel, vous m'avez l'air mal en point.

— Je ne vais pas vous déranger avec mes soucis, Théaux, surtout à l'heure du repas…

— Si l'on n'est pas un minimum à l'écoute les uns des autres, c'est à désespérer de tout ! répondit un Baptiste compatissant.

Tous deux commencèrent à manger sans un mot, qui son colin brocolis, qui sa langue sauce piquante. Ducatel fut le premier à rompre le silence :

— Vous savez, ça ne s'est pas arrangé depuis la dernière fois, avec ma femme, au contraire ! Je suis vraiment désolé de vous ennuyer avec ça, mais je n'ai personne à qui en parler…

Baptiste fit mine de s'indigner :

— Vous ne m'ennuyez pas, Ducatel, au contraire, si je peux vous aider ! Il n'y a pas que le travail, dans la vie.

— Il n'y a pas que le travail ! C'est exactement ce que me dit Sophie. Elle prétend que je ne pense qu'à la boîte, plus qu'à elle, plus qu'à notre couple, que je rentre à des heures impossibles. Il faut dire qu'au bureau d'études, on est charrette avec le fameux nouveau bonbon…

— Le Bonbon Miracle ? En effet, on en parle beaucoup ici.

Ducatel se détendit, se fendant même d'un léger sourire :

— Je crois qu'il est au point maintenant. Il change de couleur, de goût, fond très lentement, une véritable révolution !

Il fouilla dans sa blouse pour en sortir deux des fameux bonbons, enveloppés dans un papier scintillant.

— Vous avez des jumelles, n'est-ce pas, Théaux ? Tenez, ils sont encore à l'état de prototype, mais prenez-les, vous me direz ce qu'en pensent vos filles.

Baptiste glissa les friandises dans sa poche, non sans réprimer un frisson lorsque leur cellophane fit entendre son crissement, réveillant l'odieux souvenir de ses nuits agitées :

— Mais, justement, votre femme doit être fière de vous, ces bonbons vont faire un malheur auprès des enfants du monde entier.

— Sophie, fière de moi ? C'est tout le contraire. Elle ne veut même plus en entendre parler, de mon Bonbon Miracle. Elle m'a dit qu'elle avait besoin d'une autre vie et vous savez ce qu'elle a ajouté ? Que ce qu'elle voulait c'était du sel dans notre couple, pas tout ce sucre !

Sur ces derniers mots Ducatel s'effondra en pleurs, la tête dans les mains.

— Alors vous voyez, ce bonbon va peut-être faire un malheur, mais hélas ce sera le mien.

Baptiste, démonté, commençait à vraiment regretter de ne pas avoir choisi de s'installer à la joyeuse tablée de la compta. Après un silence, regardant son collègue avec intensité, il tenta une dernière approche :

— C'est une crise, juste une crise, tous les couples en traversent, ça se surmonte. Etes-vous croyant, Ducatel ?

— Plus depuis ma première communion, comme beaucoup, et ce n'est pas ce qui se passe maintenant qui va me redonner la foi.

— C'est dommage mon vieux, si vous aviez un minimum confiance en Dieu, il vous aiderait, je vous assure.

Ducatel regarda soudain sa montre :

— Treize heures trente ! Je devrais déjà être remonté au bureau d'études, on a encore à perfectionner le packaging. Merci Théaux, ça m'a fait du bien de vous parler…

Il prit son plateau et quitta précipitamment la table sous le regard déçu, mais néanmoins miséricordieux, de Baptiste.

Allongée sur le divan du docteur Delastens, Constance, depuis le début de la séance, transgressait la règle fondamentale. Elle en avait conscience, enfonçait les ongles dans le velours des coussins mais ne pouvait se résoudre à s'y soumettre. Son psychanalyste la lui avait pourtant clairement énoncée dès leur première rencontre, cette règle on ne peut plus simple : dire tout ce qui vous passe par la tête, ne rien omettre, surtout ce qui vous paraît absurde ou choquant. Constance, ce matin-là, faisait exactement le contraire, s'efforçant de penser à autre chose qu'à la moustache du praticien lequel, par de savants raclements de gorge, l'invitait pourtant à se laisser aller à ses associations libres.

Elle possédait quelques rudiments de théorie freudienne et se doutait bien que ce qu'elle taisait obstinément avait à voir avec le transfert, ce fameux amour de transfert dont elle faisait à l'instant l'expérience la plus brûlante. Son bagage théorique, bien que léger, lui permettait cependant de comprendre l'essentiel du phénomène en question : il était la répétition d'un émoi plus ancien. Mais s'il lui était déjà impensable de faire à son analyste l'aveu de son fantasme de la veille, alors qu'en serait-il de l'ancien émoi auquel il renvoyait ? Et si, pour le découvrir, il lui fallait remonter jusqu'à la moustache paternelle qui la chatouillait si délicieusement quand il chahutait avec elle… alors ça, jamais !

Fort heureusement, nombre de préoccupations se disputaient en elle la priorité et lui permettaient de bifurquer vers d'autres chemins. Elle aurait pu évoquer la découverte de *Stars intimes* dans la chambre des filles, mais parler du magazine lui parut soudain particulièrement futile. Non, ce qui l'avait amenée sur le divan était avant tout le doute, qui chaque jour prenait de l'ampleur et rongeait insidieusement sa relation à Baptiste et à Dieu. Le premier, dont elle mesurait le peu de temps qu'il consacrait à sa famille ; le Second, dont chaque rendez-vous chez le docteur Delastens entamait la crédibilité.

Une séance l'avait particulièrement déstabilisée, au cours de laquelle elle avait revécu sa découverte de l'innocent mensonge de ses parents à propos du Père Noël, qui l'avait à l'époque véritablement traumatisée. Petite fille, elle s'était cramponnée à cette croyance, s'employant à en justifier toutes les invraisemblances à l'aide d'explications puériles, mais qui lui permettaient de maintenir sa foi en ce vieillard barbu, descendant du ciel, qui lisait si bien dans les pensées, distribuait ses bienfaits à la terre entière, récompensait les vertus et châtiait les vices. Un « oui ? » chargé de sous-entendus de la part de son analyste l'avait mise sur la voie : tout ce qu'elle avait énoncé ce jour-là reprenait en effet, mot pour mot, ce qu'elle avait pu dire à la séance précédente sur sa foi en Dieu et, quelques semaines auparavant, sur sa croyance en l'omnipotence de son père. Si elle avait tardivement réussi à faire son deuil du Père Noël et celui d'un idéal paternel gravement écorné, alors pourquoi n'avait-elle pas fait celui du Père Eternel, entaché des mêmes invraisemblances ?

Delastens avait levé la séance sur cette question et elle était sortie de son cabinet dans un très grand trouble. Le ver était dans le fruit et il avait depuis beaucoup prospéré.

Afin d'échapper à l'évocation pileuse contre laquelle elle luttait depuis le début de la séance, elle se lança dans la description des multiples activités de Baptiste qui, au nom de la charité et du don de soi, éloignaient chaque jour un peu plus son mari d'elle et de ses enfants. Elle avait adoré cet homme de foi, si concerné par le malheur des autres, généreux de son temps et de son attention, comment pouvait-elle aujourd'hui ressentir un tel agacement, une telle lassitude face à ces qualités qui n'avaient pourtant aucunement faibli ? Cette question lui permit de faire, au cours de ce rendez-vous, une étonnante découverte : on peut quitter quelqu'un pour les raisons mêmes qui nous ont fait l'aimer, ce que le docteur, avant de clore la séance, confirma en laissant échapper un raclement de gorge compatissant, avant de la raccompagner jusqu'à la porte de son cabinet.

Sur le seuil, elle salua Delastens les yeux tournés vers le sol, afin de leur éviter une certaine moustache. Que son regard rencontrât l'objet de son trouble lui eût paru aussi obscène et impensable que si elle avait dardé son œil sur la braguette de son analyste.

Lorsque Constance arriva à la maison, Jeanne et Bernadette lui racontèrent leur journée avec force détails, mais elle éprouva quelques difficultés à leur accorder l'attention souhaitée. Sa séance chez Delastens lui trottait dans la tête et elle envoya un peu sèchement ses filles faire leurs devoirs dans leur chambre.

Elle ressentit cependant le besoin d'appeler Baptiste, espérant que sa voix la ramènerait à la réalité et dissiperait son malaise. A cette heure-ci il devait être sur le chemin du retour et elle tenta de le joindre sur son portable. Il répondit aussitôt, mais le concert d'orgue que diffusait son autoradio eut le don d'agacer son épouse :

— Je t'entends très mal, tu peux baisser ta radio, s'il te plaît ? Je me disais que tu pourrais passer chez le poissonnier prendre le haddock que j'ai commandé.

— Mais, mon amour, ce n'est pas possible, on est vendredi, tu sais bien qu'un vendredi sur deux…

Elle poussa un long soupir :

— Pardon, j'avais complètement oublié que c'était la semaine de Saint-Irénée…

Constance raccrocha tristement. Elle n'était pas étonnée d'avoir oublié les enfants de Saint-Irénée. Ces petits anges s'inscrivaient dans la liste des actions sublimes que Baptiste entreprenait pour remédier à la souffrance de l'humanité mais ils occupaient une telle place qu'elle ne pouvait parfois s'empêcher – à son corps défendant – de ressentir comme de la jalousie.

Elle fut tirée de ses réflexions par l'arrivée soudaine de ses filles qui, après avoir dévalé les escaliers, se précipitèrent dans le salon. Bondissant vers elle, elles lui demandèrent à quelle heure rentrait leur père.

Cette question ramena abruptement Constance à ses préoccupations :

— Malheureusement vous ne le verrez pas ce soir, les filles : c'est vendredi.

Jeanne soupira :

— De toute façon papa, on ne le voit jamais, alors…

Constance se fit violence pour ne pas abonder dans leur sens :

— Je sais que c'est dur parfois, les filles, moi aussi j'aurais préféré qu'il soit là mais ne soyez pas injustes avec votre père, vous devriez au contraire être fières de lui. Il se consacre aux autres en un temps où chacun ne pense qu'à soi…

Bernadette, regardant ses pieds, marmonna :

— On voudrait juste qu'il pense un peu plus à nous…

Constance ne sut que répondre. Les mots de Bernadette faisaient écho à sa propre pensée et elle ne trouva d'autre issue que de proposer de passer à table. Dans son trouble elle oublia la raison pour laquelle ses deux filles se tenaient debout, immobiles, devant leur assiette.

— Ben maman ! Et le bénédicité ?

Sursautant, elle se surprit à un mouvement d'humeur qui ne lui ressemblait pas et lâcha avec brusquerie :

— Laissez tomber pour ce soir, on le dira avec votre père. Pour le moment, on mange !

La réaction de leur mère était pour le moins inhabituelle : Bernadette jeta à Jeanne un regard en coin et toutes deux, avec une moue significative, haussèrent les épaules et commencèrent à se chamailler pour des vétilles. Constance, qui espérait trouver, au moment du repas familial, une occasion de se ressourcer dans une eucharistie avec ses enfants, sentit la moutarde lui monter au nez :

— On peut dîner tranquilles, les filles ?

Mais les jumelles ne comptaient pas en rester là et le ton de leur querelle s'intensifia, rendant l'atmosphère de plus en plus électrique jusqu'au moment où Constance, à bout de nerfs, explosa :

— Vous avez bientôt fini toutes les deux, c'est insupportable ! Vous commencez vraiment à me faire ch...

Elle s'interrompit à temps, mais le silence qui s'ensuivit laissa ricocher sur les murs de la cuisine l'écho du mot interdit que jamais – au grand jamais – les jumelles n'avaient entendu franchir les lèvres de leur irréprochable mère.

Baptiste se gara sur le parking de l'hôpital Saint-Irénée tout en jetant un coup d'œil inquiet à sa montre. Il quitta sa voiture pour se diriger vers l'entrée de l'établissement où le gardien le salua, avec un sourire complice :

— Vous êtes attendu, monsieur Théaux, ne les faites pas trop languir !

Il se précipita dans les vestiaires du personnel, y ouvrit un casier dans lequel il déposa ses vêtements, avant de s'approcher du miroir du lavabo pour s'enduire le visage d'une crème blanche. A l'aide d'un crayon noir il ajouta deux gros sourcils étonnés à sa face lunaire ainsi qu'un nez rouge retenu par un élastique. Il ne lui restait plus qu'à enfiler le pantalon trop large, l'énorme nœud papillon, la veste multicolore à grands carreaux et les immenses chaussures de l'auguste Théo : il était prêt à faire son entrée.

Dans l'ascenseur qui le conduisait au service

de pédiatrie, un infirmier surveillait son chariot où gisait un vieillard qui semblait à l'agonie. Le malade, les yeux perdus dans le vague, aperçut les contours de la silhouette du clown et son regard éteint retrouva soudain son éclat :

— Grock ! articula-t-il péniblement, ce qui provoqua un échange de regards gênés entre l'infirmier et Baptiste.

Ce dernier crut nécessaire de détromper le vieillard avec une phrase dont il regretta aussitôt la maladresse :

— Mais non, monsieur, je ne suis pas Grock, d'ailleurs il n'est plus de ce monde depuis longtemps...

— Sans blaaague... répondit l'agonisant, imitant l'accent du célèbre clown helvétique, avant de retomber dans sa somnolence.

Baptiste, embarrassé, sourit au malade et lui prit la main le temps de la montée, comme pour l'accompagner sur l'autre rive. Quand la porte s'ouvrit, libérant ses occupants, ceux-ci empruntèrent des directions opposées, le service de pédiatrie et celui de gériatrie se partageant le même étage.

A cette heure, les jeunes patients étaient réunis dans la salle de jeux du service, certains s'appliquant à des puzzles, d'autres disputant des parties de Monopoly ou de jeu de l'oie. Un peu à l'écart, sur un fauteuil trop grand pour lui, un garçonnet au crâne lisse, une blouse vert pâle attachée dans le dos, était plongé dans un album des aventures de Tintin. Son visage s'éclaira lorsqu'il aperçut Baptiste ; il lâcha sa lecture, imité par les autres enfants du service qui abandonnèrent leurs activités pour trottiner vers l'auguste.

— Théo ! Théo !

Ces acclamations réchauffèrent le cœur de Baptiste, qui répondit à ses admirateurs en herbe d'une voix nasillarde :

— Bonjour les petits zéléphants !

L'auguste Théo exécuta avec brio devant son public conquis un numéro bon enfant, allant de l'un à l'autre, plaisantant avec les petits malades, faisant mine de tirer de leur nez ou de leurs oreilles des bonbons dont il avait fait provision avant de quitter l'usine. L'infirmière du service intervint pour le gronder gentiment :

— Monsieur Théo, je ne sais pas s'il est permis à tous nos petits pensionnaires de se gaver de sucreries... Ecoutez-moi bien, les enfants : on va mettre vos trésors de côté en attendant la visite du médecin !

Déclaration qui fut accueillie par les soupirs et les cris de déception des enfants.

Baptiste remarqua que le garçonnet au crâne lisse était resté dans son coin, souriant tristement à ses facéties. Il s'approcha de lui :

— Ça va, mon petit Claude ?

— Je suis fatigué aujourd'hui…

— Oh, mon petit éléphant préféré est fatigué… c'est normal avec tous ces cachets qu'il prend… je vais t'en donner un moi aussi, mais très, très spécial, tu vas voir !

Il sortit l'un des deux Bonbons Miracle de la poche de son pantalon démesuré et le tendit discrètement au petit garçon qui joua le jeu et le prit comme un éléphanteau le ferait avec sa trompe, un pâle sourire aux lèvres.

L'infirmière, faussement fâchée, agita vers Baptiste un index menaçant :

— Je vous ai vu, monsieur Théo !

Baptiste feignit la terreur, ce qui déclencha l'hilarité des enfants :

— Oh là là ! Je vais me faire gronder ! Non, non, pitié, pas de piqûre !

Il fit un tour sur place, courant les pieds en canard tout en se protégeant les fesses, provoquant de nouveaux rires chez les enfants puis, à nouveau en confidence, il s'adressa au petit Claude :

— Tu demanderas au docteur si tu y as droit… sinon tu le garderas pour plus tard, quand ça ira mieux…

— Je ne sais pas si ça ira mieux un jour…

— Mais qu'est-ce qu'il raconte celui-là ? Avec tout ces gens qui veillent sur toi et qui t'aiment, tes parents, les docteurs, le Bon Dieu et puis ton vieux Théo le clown !

Le petit Claude, songeur, contempla le bonbon. Lui saisissant délicatement le menton, Baptiste releva le visage de l'enfant et, le regardant droit dans les yeux, prit un ton mystérieux :

— Tu verras, il est magique… il change plusieurs fois de couleur, de goût, c'est un bonbon incroyable… et en plus tu es le seul enfant, tu m'entends, le seul enfant au monde à en avoir un comme celui-là.

Le tintement d'une clochette annonça l'heure du dîner, l'infirmière frappa dans ses mains afin de rassembler ses troupes : il était temps pour Théo de quitter le service et de redevenir Baptiste. Il s'éloigna, avec de grands gestes d'adieu auxquels les enfants enthousiastes répondirent, pendant que le petit Claude ne le lâchait pas des yeux, le Bonbon Miracle serré comme un trésor contre sa poitrine.

Lorsque Baptiste rentra enfin chez lui, Constance et les filles le reçurent avec tiédeur, accueil qui contrasta grandement avec celui que lui avaient réservé les enfants de Saint-Irénée. Du bout des lèvres, Constance lui annonça qu'un repas froid l'attendait dans le réfrigérateur et lorsqu'il eut fini son souper, couronné par un yaourt nature, il rejoignit sa famille au salon pour constater que sa femme et ses filles étaient absorbées dans la contemplation d'un téléfilm, sans doute d'un intérêt majeur puisqu'il leur permit d'ignorer superbement sa présence.

Maussade, il se réfugia dans son bureau pour surfer sur Internet, à la recherche de sites qui l'intéressaient particulièrement. Un léger bruit sur la moquette attira son attention : le deuxième Bonbon Miracle venait de tomber de sa poche. Il hésita un instant, pensant à ses filles, puis il l'enfourna prestement, peu convaincu que ce produit allait relever la courbe des statistiques de chez Amico.

— On peut entrer, papa ? demandèrent en chœur deux petites voix.

Ravi que le téléfilm ne l'ait pas trop longtemps privé de ses filles, il leur montra ce qu'il recherchait en surfant sur le Net : les actions humanitaires entreprises en France et dans le monde par des ONG catholiques. Les sites en question défilèrent sur l'écran de son ordinateur.

— Vous voyez, toutes ces organisations envoient des volontaires dans les pays démunis pour aider et soigner : le Comité catholique contre la Faim, Fidesco. Pour en savoir davantage vous pouvez cliquer sur leur site…

Jeanne et Bernadette, l'écoutant à peine, se disputèrent la souris à grands cris, dans une bousculade qui finit en pugilat.

Constance fit irruption dans le bureau, des éclairs dans les yeux :

— Vous n'allez pas recommencer, les filles !

Baptiste, surpris par la brusquerie de la réaction de son épouse, tenta de poursuivre :

— Ce sont des organisations qui sont dans l'esprit de justice et de charité, c'est ça l'important ! Vous feriez mieux de vous en inspirer au lieu de vous battre comme des chiffonnières.

— Un jour tu nous avais parlé des chiffonniers d'Emmaüs, ils se battent eux aussi ? demanda Bernadette, une pointe d'ironie dans la voix, ce qui fit pousser à Constance un soupir sonore.

— Je suis fatiguée, tu t'occuperas de coucher les filles, d'accord ?

Constance lisait, le dos calé contre son traversin. Baptiste lui demanda si la télévision la dérangeait, elle répondit d'un simple signe de tête. Les programmes n'étaient guère palpitants, aussi Baptiste navigua-t-il de chaîne en chaîne jusqu'à tomber sur un reportage qui – sans qu'il en comprît la raison – le captiva.

Non loin de Marble Arch, en bordure de Hyde Park, un lieu baptisé Speaker's Corner permettait à des orateurs, juchés sur des chaises ou des caisses à savon, de haranguer la foule sur des sujets de leur choix. Baptiste, fasciné, assista à l'un de ces discours passionnés, déclamé par un prophète halluciné devant un auditoire tenu en haleine. Sa faible connaissance de la langue anglaise ne lui permit pas de saisir la teneur des propos éructés par l'orateur, mais la puissance de conviction de ce dernier l'impressionna.

Intriguée, Constance lâcha quelques instants son ouvrage pour s'intéresser à l'énergumène vociférant qui semblait passionner son mari :

— Qu'est-ce que tu regardes ?

Baptiste n'entendit même pas son épouse. L'œil rivé sur l'écran il semblait atteint de catatonie, cette maladie mentale réduisant ceux qui en sont affectés à l'état de statue. Constance faillit renouveler sa demande mais y renonça, haussa les épaules et se replongea dans sa lecture, jugeant que la journée lui avait apporté assez de questions sans réponse.

Lorsqu'il reprit conscience, Baptiste s'aperçut qu'un documentaire sur le maïs transgénique succédait au reportage qui avait provoqué sa catalepsie. L'image de l'orateur véhément qui galvanisait son auditoire continuait cependant à le hanter.

Constance avait éteint sa lampe de chevet et semblait dormir profondément. Il n'aimait pas que leur journée se termine sur un froid : il ne pourrait pas sombrer dans un sommeil réparateur, sachant son épouse contrariée. Il tenta une timide manœuvre d'approche, se saisissant d'une mèche de cheveux de Constance pour la tortiller entre ses doigts. Elle réagit par un grognement, certes peu amène, mais qui prouvait que son sommeil n'était pas si profond.

Quelques caresses savantes, comme celles de la nuit précédente, n'auraient sans doute pas de mal à la convaincre de s'abandonner : jamais elle ne lui avait refusé une étreinte. Ses mains se promenèrent sur les délicieuses courbes de sa femme et c'est au moment précis où il tentait délicatement de s'introduire que son téléphone portable, déposé sur la table de nuit, choisit de sonner. Il voulut l'ignorer, mais l'appareil était réglé de façon à s'exprimer avec de plus en plus de vigueur, ce qui donnait à l'appel une tonalité d'urgence. A tâtons il s'empara de l'engin détesté pour regarder qui pouvait bien vouloir lui parler à cette heure : Ducatel.

Que faire ? Répondre à l'appel de son collègue – appel sans doute désespéré, vu l'heure – ou appuyer sur le bouton rouge de son portable ?

Il décrocha.

Constance, dans son demi-sommeil, était en proie à des sentiments contradictoires. Soulagée d'échapper aux assauts de Baptiste et à l'éventualité de voir se reproduire la choquante apparition de la veille, elle ressentait cependant un profond agacement à constater que son mari lui préférait le téléphone : encore une fois, la priorité était accordée à un autre. Elle ne put s'empêcher d'écouter la conversation :

— Allô oui, Ducatel ? Mais non, mais non, vous ne me dérangez pas…

Constance, exaspérée, leva les yeux au ciel.

— Sophie vous a dit ça ? Elle n'en pense pas un mot, elle vous met à l'épreuve, c'est tout. Mais non, elle ne va pas divorcer, elle va se battre comme vous, avec vous, pour sortir de cette impasse. Une vie de couple est une longue aventure. Si vous croyez qu'avec ma femme nous n'avons pas des mots parfois… Mais l'amour est là, toujours.

Comme pour appuyer ses propos il caressa la hanche de Constance d'une main éloquente, qu'elle envoya fermement promener.

Chez Constance la colère le disputait à l'épuisement et de longues minutes plus tard elle capitula, échappant à la suite du sermon de Baptiste :

— Pensez plutôt à Jésus, Ducatel : abandonné de tous il a encore eu la force de demander à Dieu le pardon pour ses bourreaux. Mais ne vous énervez pas, je sais que vous êtes incroyant, c'était juste une image… Voilà, je vais vous laisser maintenant. Quoi ? Vous tuer ? Ah oui, la belle solution, en effet.

Vous effacer au lieu de vous battre pour reconquérir votre épouse ! Sans compter que la vie est sacrée et que ce n'est pas à vous de décider d'y mettre un terme…

Au plus profond de la nuit, lorsque Baptiste eut enfin raccroché, il se tourna vers Constance dont le grognement semi-consentant s'était transformé en un ronflement sonore qui le dissuada d'entreprendre quelque approche que ce fût.

II

L'invisible persécuteur était de retour : *« Il ne faut pas croire que je te prenne pour un imbécile…* » Une fois de plus Baptiste sursauta et se redressa, pendant que les accents doucereux de la Voix lui chatouillaient désagréablement l'oreille. La faible clarté qui filtrait des persiennes faisait luire sur le sol une myriade de bonbons aux emballages scintillants. Décidément, la trêve avait été de courte durée.

« … *Tu aimes profondément ta femme et tes filles, mais tu aimes plus encore le Bien et naturellement sa triple incarnation dans l'Eglise catholique. Tu as beau vouer à ta famille un amour sans faille, tu mets Dieu au-dessus de tout et si ce dernier, comme aux bons vieux temps bibliques, t'apparaissait dans un nuage de paillettes et te demandait, pour tester ta foi et ton absolue obéissance en Sa loi, d'égorger sur-le-champ la délicieuse Constance et les non moins délicieuses Jeanne et Bernadette, nouvel*

Abraham tu empoignerais sans hésiter le plus tranchant des couteaux de ta batterie de cuisine, espérant peut-être – je veux tout de même le croire – que Sa main arrêterait au dernier moment ton geste, rassuré qu'Il serait quant à ton dévouement. »

Baptiste voulut protester mais l'indignation lui aurait fait hausser le ton, aussi résolut-il de ne pas répliquer, ce qui encouragea la Voix :

« Mais s'Il ne saisissait pas ton poignet et te laissait accomplir le pire, j'imagine que tu justifierais ton crime en disant "je n'ai fait qu'obéir". D'autres, et non des moindres, ont utilisé cet argument avant toi… »

Il sauta du lit pour échapper à ces révoltants propos et se précipita dans la salle de bains. De nombreuses ablutions lui furent nécessaires afin de retrouver la sérénité, mais ne l'empêchèrent pas de garder les yeux grands ouverts jusqu'au petit matin.

Il venait enfin de sombrer dans le sommeil quand une autre voix, celle du radio-réveil, mit un terme à sa trop courte nuit.

Alors que Baptiste franchissait le seuil de l'usine Amico, deux employées de l'usine l'accostèrent. Le bleu ciel de leurs blouses contrastait avec leur grise mine. La plus âgée d'entre elles, le front soucieux, lui fit part de son inquiétude :

— Monsieur Théaux, vous êtes le seul à qui nous puissions poser ce genre de question : avez-vous entendu parler d'un plan social dans l'entreprise ? Le bruit circule dans les couloirs, la rumeur dit même que ce serait imminent…

Baptiste se racla la gorge, très mal à l'aise :

— Je ne peux pas vous cacher que les statistiques sont alarmantes, mais nous allons tous unir nos forces pour éviter le pire. Pas question de mettre qui que ce soit à la porte… peut-être, en effet, que par souci d'économie les départs en retraite ne seront pas remplacés, mais ça n'ira pas plus loin…

La seconde employée, qui tenait une enveloppe de papier kraft à la main, s'adressa à lui :

— Tout cela ne nous rassure pas beaucoup mais justement, puisque vous parlez de retraite, nous recueillons les dons pour le départ de monsieur Béliseau !

Sans hésiter, Baptiste sortit de son portefeuille un billet de cinquante euros et le glissa dans l'enveloppe.

— Merci pour lui ! Avec ce qu'on a récolté, il va avoir sa belle canne à pêche !

A ces mots, Baptiste sortit de nouveau son portefeuille pour glisser un deuxième billet de cinquante euros dans l'enveloppe.

— Pour le moulinet !

La plus âgée des deux employées, le regardant s'éloigner, dit à sa jeune collègue avec un sourire ému :

— Ça ne m'étonne pas de monsieur Théaux…

Satisfait de son geste, Baptiste sentit pourtant au fond de lui sourdre un léger malaise devant la sombre humeur des occupants de l'étage. Une atmosphère délétère régnait, les regards s'évitaient et les conversations prenaient, aussi banales qu'elles fussent, l'allure de conciliabules. Il eut soudain l'impression que l'entreprise, dans laquelle il avait coulé des jours si doux, courait à sa perte. Il tenta de chasser ce funeste pressentiment en se lançant dans la consultation de ses mails et la vérification de ses commandes, quand un coup ferme frappé à sa porte le fit tressaillir.

Le visage fermé de Basquin, son supérieur hiérarchique, apparut dans l'encadrement :

— Je peux vous déranger, Théaux ? J'ai une tâche importante à vous confier.

Basquin, avec gravité, alla fermer la porte du bureau, soulignant par ce geste l'aspect confidentiel de sa requête.

— Je vais être direct, Théaux. Les faits sont là : le chiffre d'affaires a chuté, la capitalisation boursière aussi, il faut redonner un peu d'air aux actionnaires, aussi le directeur général et moi-même avons eu à prendre une décision…

Baptiste frémit, repensant à sa conversation avec les deux employées :

— Ne me dites pas…

— Eh bien si, je vous le dis, et tout net ! Nous allons opérer un licenciement économique.

Son pressentiment était donc fondé : Baptiste, blêmissant, jeta un regard indigné à son supérieur :

— Vous ne pouvez pas ignorer ce qui va arriver demain à ces pauvres gens, vu la conjoncture. Ils n'y sont pas préparés, vous allez leur faire vivre un vrai drame.

Basquin se fit tranchant :

— Si on commence à faire du sentiment, mon vieux, on est mal partis. Ce n'est pas parce que nous nageons dans les sucreries et les douceurs que nous sommes une œuvre de bienfaisance, Théaux. Il faut que vous compreniez que c'est la survie de l'entreprise qui est en jeu, il n'y a pas d'autre solution.

— Il y a toujours d'autres solutions…

— Vous pensez à quoi, Théaux, à la prière, à un recours à la banque du Vatican, à l'hypothèse d'un miracle ?

Tout en se disant qu'il aurait mieux fait de taire à son supérieur ses convictions religieuses, Baptiste choisit d'ignorer la remarque grinçante de Basquin :

— Mais au moins est-ce qu'ils partiront avec une indemnité suffisante, est-ce qu'ils auront accès à un cabinet d'outplacement ?

— Ils auront les indemnités légales, point barre. Quant à votre cabinet d'« outmachin », je vais en parler là-haut et nous allons y songer : nous ne sommes pas des monstres à la direction générale, tout de même !

Face au spectacle d'un Baptiste manifestement effondré par ce qu'il venait d'apprendre, un demi-sourire éclaira le visage de son supérieur :

— Je vous sens plein d'empathie pour ces gens, Théaux, vous savez visiblement vous mettre à leur place.

Baptiste secoua la tête, les yeux humides :

— C'est terrible ! Les pauvres, je ne sais pas ce que je ferais si c'était à moi qu'une telle catastrophe arrivait.

Le demi-sourire de Basquin s'élargit, découvrant une dentition carnassière :

— Justement ! Vous tenez là l'occasion unique d'imaginer ce que vous aimeriez entendre en pareil cas. Ah, Théaux, je savais que vous étiez l'homme de la situation ! A l'évidence vous saurez régler cette affaire avec humanité…

Devant la moue interrogative de Baptiste, il insista :

— Mais bien sûr, Théaux ! Humanité, empathie, c'est tout vous. C'est ce qui m'a convaincu que vous étiez le mieux placé pour annoncer la nouvelle aux personnes concernées.

Il sortit un papier de sa poche.

— J'ai la liste ici…

Les jours qui suivirent furent particulièrement pénibles pour Baptiste. Non seulement Constance lui reprocha avec virulence d'avoir accepté l'abjecte mission dont l'avait chargé Basquin, émaillant ses sermons de qualificatifs peu flatteurs, tels que « servile », « lâche » ou « bras armé de la direction », qui le blessèrent profondément, mais surtout il revécut, sous la forme de cauchemars récurrents, les entretiens qu'il avait dû mener et dont il était loin d'être fier.

— Monsieur Le Floch, on se connaît depuis longtemps, on fréquente la même paroisse, je sais que c'est très dur pour vous mais vous avez une chance que d'autres n'ont pas : la foi, la confiance en Dieu. Vous savez aussi bien que moi qu'il nous montre toujours la voie…

Ce à quoi, nuit après nuit, Le Floch répondait invariablement, avec une ironie amère :

— Aujourd'hui il me montre surtout la porte…

Et Baptiste, mouillé de sueur, entendait de nouveau chacune des paroles échangées, comme condamné par un châtiment céleste à revivre éternellement les circonstances de son forfait :

— Ne dites pas ça, Gaël – je peux vous appeler Gaël ? –, vous êtes encore jeune et il n'y a pas que la confiserie dans la vie, pensez plutôt au nouveau chemin qui s'ouvre à vous…

— Un chemin de croix, oui !

Et dans un hoquet Baptiste se réveillait, pour replonger quelques instants plus tard dans un nouveau cauchemar :

— Madame Anselme, je vous répète qu'avec votre CV vous n'allez pas rester longtemps inactive. En plus vous allez bénéficier de l'aide d'un cabinet d'outplacement, monsieur Basquin me l'a assuré formellement.

— Je vous en prie, n'essayez pas de m'endormir. J'ai quarante ans passés, je suis seule avec deux enfants à charge. Avec ça j'ai toutes mes chances, c'est sûr. Vous êtes bien gentil, monsieur Théaux, vous faites votre possible, mais vraiment la direction vous fait jouer un sale rôle. Ah, si je m'attendais à ça ! C'est le ciel qui me tombe sur la tête.

— Le ciel ne tombe jamais sur nos têtes, Adeline – je peux vous appeler Adeline ? – au contraire le ciel…

— D'abord je ne tiens pas à ce que vous m'appeliez par mon prénom, surtout un jour comme celui-ci… Et puis quoi, le ciel ? Aide-toi, le ciel t'aidera ? C'est ça ?

— Ce n'est pas ce que je voulais dire… Vous ne manquez pas de ressources, vous êtes divorcée : en attendant votre reconversion vous pourrez subvenir à vos besoins avec votre pension alimentaire…

— Il faudrait déjà que mon ex-mari me la verse !

Nouveau réveil trempé de Baptiste, suivi d'une nouvelle plongée dans un sommeil agité :

— Et je vais faire quoi, moi, maintenant ? lui demandait Lambert, entre deux sanglots.

— Je sais que vous aimez la cuisine, monsieur Lambert, eh bien c'est le moment de réaliser ce rêve…

— Théaux, je vous en prie, ne me parlez pas de rêve alors que je vis un cauchemar…

— Ne croyez pas ça, Lambert, les Assedic offrent des aides pour la création de projets individualisés, prenez cela comme une chance. Passionné comme vous êtes, dans un an vous ouvrez votre restaurant.

— Oui, c'est ça ! Et pour l'instant comment je fais pour nourrir ma famille ?

Et Baptiste finissait la nuit assis dans le lit conjugal, contemplant – à défaut d'un tapis de friandises – le dos hostile de Constance, remâchant sa faute et tentant de chasser la dernière vision qui le crucifiait, celle de la cohorte d'une dizaine de virés morfondus sortant de l'entreprise, leurs cartons d'affaires personnelles dans les bras, suivie, depuis la fenêtre de son bureau, par son regard désespéré et profondément coupable.

C'est courbé sous le poids de ses mauvaises nuits que Baptiste entra dans le hall de Saint-Irénée. Sa prestation auprès des petits malades, pensa-t-il, saurait mettre un peu de baume sur son cœur endolori. Le gardien, embarrassé, l'attendait devant sa guérite :

— Monsieur Théaux, le DRH souhaiterait vous parler tout de suite…

— Je n'ai pas le temps, Marcel, je suis déjà un peu en retard, les enfants m'attendent. J'irai le voir après.

— Mais c'est que…

Baptiste ne laissa pas l'employé terminer sa phrase et se hâta de rejoindre son casier. Quelques minutes plus tard Théo, de sa démarche de canard, se dirigeait vers le service de pédiatrie. Au milieu du couloir, il marqua un temps d'arrêt en entendant des éclats de rire résonner dans la salle de jeux. Il pressa le pas pour en ouvrir la porte et demeura bouche bée devant le spectacle qui s'offrait à lui : celui d'un autre clown exécutant son numéro devant les petits patients qui l'applaudissaient à tout rompre. Un clown blanc, dans un habit de lumière aux paillettes multicolores, qui se livrait à des facéties que Baptiste jugea aussitôt vulgaires.

Personne ne remarqua son arrivée, ni les enfants, ni l'infirmière qui, rouge de plaisir, s'esclaffait devant les plaisanteries grossières du fantaisiste. Seul le petit Claude, dans son fauteuil à l'écart, affichait une mine boudeuse.

Baptiste toussa pour attirer l'attention, ce qui interrompit le spectacle et installa un silence gêné. Tous les regards se tournèrent vers lui, Claude cria joyeusement son nom, quelques enfants l'imitèrent, mais son arrivée, loin de provoquer l'enthousiasme habituel, eut plutôt pour effet de répandre un grand froid dans la salle pourtant surchauffée.

Le clown blanc s'approcha de l'auguste, le dominant d'une tête. Sous le maquillage épais, de petits yeux noirs à l'éclat mauvais jaugèrent l'intrus :

— Salut, moi c'est Momo, y a un problème ?

— Bonjour… moi c'est Théo, mais qu'est-ce qui se passe ?

— Ah ! Ils t'ont pas prévenu ? Je comprends que tu sois surpris, mais dorénavant je fais les mois pairs et toi les mois impairs…

Baptiste comprit aussitôt ce que le gardien avait tenté de lui dire à propos du DRH qui souhaitait impérativement le voir :

— Non, on ne m'a pas prévenu… et c'est même incroyable de me mettre ainsi devant le fait accompli.

— Ça te pose un problème ?

— Evidemment ! J'aurais aimé pouvoir en discuter avec la direction…

— En même temps, s'ils ont décidé de doubler le poste, t'as quand même des questions à te poser. Ils m'ont dit qu'ils cherchaient quelqu'un de plus actuel, de plus dans le coup. D'après le DRH, il semblerait que ton numéro soit un peu… comment dire… passé de mode. On n'est plus à l'époque des bons sentiments, mon pauvre vieux, aujourd'hui on joue sur la dérision, on se moque de la maladie, on n'a pas peur d'en rajouter. Hein, les petits rabougris ? lança-t-il aux enfants pour appuyer son propos.

Voyant que les petits malades commençaient à s'impatienter, l'infirmière proposa aux deux clowns de remettre leur discussion à plus tard. Baptiste, dont la tension artérielle avait nettement grimpé, tint à ajouter :

— Je viens ici depuis des années, personne ne s'est jamais plaint de mes prestations, surtout pas les enfants !

Le clown blanc toisa l'auguste avec un petit rire méprisant :

— Excuse-moi, mais tu n'as pas le monopole du clown. Remarque, je comprends que ça te reste en travers, ça va te faire un manque à gagner…

— Quel manque à gagner ? Je suis bénévole ! s'indigna Baptiste.

Momo ricana :

— Ah ! Ben je comprends mieux, un amateur ! Moi je suis un professionnel et la qualité, ça se paie. Les bénévoles, le cœur sur la main, on se demande toujours ce que ça cache… Bon ! Assez tergiversé maintenant, j'ai du travail.

Et s'adressant aux enfants :

— Allez, les petits pâlots, on dit au revoir à Théo !

Baptiste, qui sentait sa peau virer à l'écarlate sous le plâtre du maquillage, fit un effort intense pour ne pas céder au péché de colère et se montrer conciliant :

— On pourrait peut-être travailler en duo, au moins pour cette fois ?

Momo le clown blanc prit les enfants à témoin et, d'une voix de fillette pleurnicharde, gémit :

— Oh, mais c'est qu'il veut pas laisser travailler Momo, le vilain Théo !

Tout en parlant, Momo poussa Théo vers la sortie avec force taloches sur le haut du crâne et coups de pied aux fesses, tel un clown blanc martyrisant un auguste sur la piste d'un cirque, allant même jusqu'à lui assener une vraie claque dont l'écho se répercuta sous les hauts plafonds de la salle, saluée par les rires et les applaudissements des enfants, ravis de ce numéro.

Seul le petit Claude ne fut pas dupe, il se raidit sur son grand fauteuil, bouleversé par la scène à laquelle il venait d'assister. Baptiste, quant à lui, soucieux d'éviter aux jeunes patients le spectacle d'un pugilat, s'obligea à jouer le jeu, poussa quelques couinements de douleur comiques et sortit de la salle en lançant son habituel :

— Au revoir les petits zéléphants !

— Au revoir Théo ! lui répondit un chœur de voix angéliques.

Totalement décomposé Baptiste chancela et, à peine arrivé dans le couloir, se raccrocha si brutalement à un chariot que les piluliers qui y étaient entreposés émirent un son de maracas.

Ce qui lui advenait était impensable : que la direction de l'hôpital le traitât avec une telle désinvolture, lui qui se dévouait depuis des années auprès de ces pauvres enfants, que le monstrueux Momo lui fasse subir une telle humiliation, tout laissait monter en lui, pour la première fois de son existence, des envies de meurtre.

Ruisselant, il tenta d'arracher le faux nez qui le faisait suffoquer, mais ses mains moites glissèrent sur la petite sphère rouge et l'élastique la lui renvoya douloureusement en plein visage. Il trépigna, poussant un cri de rage, et sentit des sanglots se précipiter dans sa gorge, mais une voix enfantine le stoppa net dans son désespoir. Le petit Claude l'avait rejoint dans le couloir. Appuyé au mur, l'enfant le regardait tristement :

— Ça va Théo ? T'as pas mal ?

— Pourquoi j'aurais mal ? Tu vois bien que c'était pour rire… répondit Baptiste, frottant sa joue encore rouge de la claque de Momo.

— Moi, ça m'a pas fait rire ! D'abord les clowns blancs, ils font peur, et puis celui-là il est vraiment méchant ! Tu vas quand même revenir, Théo, tu me le promets ? D'accord ?

Baptiste acquiesça en souriant et embrassa le petit garçon :

— Si je reviens ce sera pour toi ! Va vite te reposer, tu as l'air fatigué, mon petit éléphant…

Assis au volant de sa voiture, sur le parking de l'hôpital, Baptiste tentait en vain de retrouver ses esprits. Il mit le contact, sortit de sa poche son crucifix et le suspendit au rétroviseur : celui-ci lui renvoya un reflet si pâle qu'il pensa avoir oublié de se démaquiller. Tant de choses avaient changé depuis quelques jours !

La tête lui tournait jusqu'à la nausée, quand les échos d'une querelle attirèrent son attention. Deux automobilistes, dont il n'entendait que les voix, se disputaient une place avec violence :

— Je l'ai vue en premier…

— Possible mais moi j'y étais avant vous !

— C'est pas le moment de m'emmerder, ma femme est en dialyse, là…

— Moi, ma mère a fait un AVC, les urgences viennent de m'appeler, ça te va ?…

— Je veux pas le savoir, dégage je te dis !

— Tu as intérêt à te calmer sinon c'est toi qui vas te retrouver aux urgences !

Devant une telle agressivité, Baptiste fut tenté d'intervenir : quelques paroles de bon sens devraient désamorcer ce conflit, pensa-t-il, ces hommes souffraient, ils étaient tous deux dans l'angoisse face à la maladie d'un proche, il pourrait sans doute leur faire entendre raison. Il coupa le contact, mais au moment où il allait ouvrir sa portière, son vertige empira.

Il venait de se laisser retomber sur son siège quand il vit les deux hommes sortir de leur véhicule, l'un armé d'un cric, l'autre d'une bombe lacrymogène. A sa stupéfaction, il reconnut dans les conducteurs Momo le clown blanc, toujours dans son costume pailleté, et le DRH impeccablement cravaté. Comment était-ce possible ? Il voulut les interpeller mais aucun son ne sortit de sa bouche et il assista impuissant à leur combat sans merci : Momo tenta d'asperger le DRH avec sa bombe, mais ce dernier, plus vif, la lui arracha des mains pour lui en vider le contenu dans la bouche. Suffoquant, ses lèvres pourpres laissant échapper une mousse verdâtre, le clown enfonça ses doigts dans les yeux du DRH et fit jaillir les globes oculaires de son adversaire hors de leurs orbites, ce qui n'empêcha pas l'énucléé, avant de s'effondrer, de faire exploser d'un coup de cric le crâne de son bourreau, dont la matière cervicale se répandit sur le bitume.

Le hurlement de Baptiste, qui venait de retrouver sa voix, fut couvert par un martèlement sur son pare-brise : une pluie de bonbons et de sucettes ! L'orage de sucreries se déchaîna et les douceurs multicolores se fracassèrent sur le sol, recouvrant d'une montagne de papier scintillant les corps emmêlés des combattants.

Quand Baptiste recouvra ses esprits il regarda avec effarement le parking sur lequel ne subsistait aucune trace, ni du carnage, ni de l'averse de bonbons, ce qui ne le rassura qu'à moitié : beaucoup de contrariétés, certes, pouvaient expliquer son vertige, mais rien qui puisse justifier une hallucination d'une telle violence. Il allait peut-être lui falloir recourir à un spécialiste, si toutefois son emploi du temps le lui permettait.

Il glissa dans le lecteur de son autoradio un CD de chant grégorien, allongea le dossier de son siège et respira profondément. Peu à peu la magie des voix mâles, réverbérées par la voûte d'une chapelle romane, dissipa son malaise. Les battements de son cœur cessèrent leur sarabande et il se sentit de nouveau opérationnel. Il le fallait, car Dieu lui avait confié une autre mission ce soir-là : songeant à le rappeler à Constance, afin qu'elle ne l'attende pas pour dîner, il téléphona chez lui mais tomba sur le répondeur. Les voix angéliques des jumelles – par-dessus les *Vêpres de la Vierge* – lui affirmèrent que l'on était très occupé, mais que l'on recontacterait le correspondant aussitôt que possible.

Il hésita, puis choisit de ne pas laisser de message.

A l'écart du périphérique, côté banlieue, un ancien autobus à plate-forme abritait une cantine de fortune, devant laquelle patientait une longue file de déshérités, un plateau à la main, attendant leur pitance. Au milieu d'un groupe de bénévoles de l'Entraide chrétienne, Baptiste distribuait avec enthousiasme de solides portions de purée sur lesquelles il déposait les saucisses qui rissolaient sur la grille d'un barbecue. A chacun il faisait don d'un large sourire, accompagné d'une insistante invitation :

— N'oubliez pas de rester pour la veillée, nous comptons sur vous !

Une fois par semaine il se dévouait pour offrir ce repas aux plus démunis et le plaisir qu'il lisait dans leurs yeux le récompensait de sa peine. Ce soir-là, tout particulièrement, il était heureux de s'absorber dans cette tâche, la journée qui l'avait précédée s'étant révélée trop éprouvante. La fatigue se faisait cependant sentir et, contemplant l'étendue de la file qui ne cessait de s'allonger, Baptiste soupira : la veillée restait à animer, il était loin d'être rentré à la maison.

Il empoignait sa louche pour une nouvelle tournée quand un bruit le fit sursauter, le tintement d'un objet tombant sur une des assiettes qu'il s'apprêtait à remplir, bientôt suivi par une série d'autres chocs, cette fois sur la table à tréteaux : des sucettes pleuvaient en nombre depuis le toit de l'autobus ! Paniqué par cette nouvelle attaque, il se frotta les yeux afin de chasser cette vision, mais lorsqu'il les rouvrit ce fut pour apercevoir trois silhouettes en haillons, celles des licenciés de chez Amico : Gaël Le Floch, Adeline Anselme et Lambert qui, tels des éclopés échappés d'une improbable cour des miracles, lui tendaient leur écuelle avec un pitoyable sourire édenté.

— Vas-y Théaux ! Et insiste sur la purée. Dis donc, c'est pas un quatre étoiles ton resto, ricanait Lambert en contemplant le contenu de son assiette.

Baptiste s'empara d'une bouteille d'eau et s'en aspergea le visage, pour dissiper la terrible image des trois malheureux. Devant lui, brandissant son assiette, un barbu hilare qui attendait sa ration ironisa :

— Eh ben il dormait, le loufiat ? Il a besoin d'un brin de toilette pour se réveiller ? Alors, tu insistes sur la purée, oui ou merde ?

Deux hallucinations dans la même journée, sans compter celles qui hantaient ses nuits, cela devenait tout à fait alarmant ! Cette fois, une consultation s'imposait et Baptiste se promit d'y penser sérieusement… dès qu'il en trouverait le temps. Pour le moment, la distribution des repas étant terminée, il lui fallait mener la veillée et ce n'était pas le moment de s'attendrir sur soi-même.

Un des bénévoles plaqua quelques accords sur sa guitare et Baptiste, après avoir distribué des partitions, invita l'assemblée à chanter avec lui des hymnes religieux, lesquels furent repris avec un enthousiasme modéré. C'est alors qu'en provenance du terrain vague d'à côté un rythme obsédant, dont les basses faisaient vibrer le sol de l'autobus, se fit entendre de plus en plus distinctement, accompagné de refrains frénétiques. Au grand dam de Baptiste la chorale se vida peu à peu de ses membres qui, curieux d'en savoir davantage, s'en allèrent rejoindre la joyeuse troupe qui beuglait à proximité. Le guitariste et lui se retrouvèrent rapidement seuls, désemparés, au milieu des assiettes sales, des gobelets à demi vidés et des partitions froissées. Le musicien, jugeant que ça pulsait plutôt bien à côté, lâcha son instrument et proposa à Baptiste d'aller jeter un œil chez les voisins.

D'énormes baffles diffusaient un rap endiablé sur une piste de danse improvisée où s'agitait une foule de démunis de tous âges, auxquels s'étaient joints les déserteurs de la veillée de l'Entraide chrétienne. Tous tentaient d'oublier leur misère en improvisant des chorégraphies inspirées du hip-hop, piochant, entre deux gesticulations, dans un buffet où abondaient sandwiches et boissons dont la teneur en alcool dépassait largement celle des eaux minérales et des sodas servis par les compagnons de Baptiste.

Au centre de la piste, une cigarette à la main, dansait un solide gaillard à boucles d'oreilles, dont les biceps s'ornaient de tatouages représentant le Christ en croix. Dans l'individu qui ne passait pas inaperçu, Baptiste reconnut aussitôt le père Louis Guilbert, qu'il avait souvent entendu s'exprimer dans les médias et qui menait le bal à grand renfort de moulinets des bras. Très contrarié par la déloyale concurrence que lui imposait le prêtre – dont il n'appréciait que très modérément l'apparence et les méthodes –, il se dirigea vers celui-ci afin de lui faire part de son sentiment. Incommodé par la forte odeur d'herbe prohibée dégagée par le père, il se fit un devoir de le lui faire savoir :

— Vous croyez vraiment que vous rendez service à ces pauvres gens en leur proposant ce genre de boisson et de musique… sans parler du reste, à en juger par ce que vous fumez ?

Le père Guilbert le considéra d'un œil vague :

— Mais t'es qui, toi ?

— Baptiste Théaux, de l'Entraide chrétienne, nous organisons une distribution de repas juste à côté, accompagnée d'une veillée, et vous nous faites du tort !

— Quoi ? On te fait du tort en aidant des pauvres mecs dans la détresse ? s'étonna le prêtre aux oreilles percées en écarquillant des yeux injectés de sang.

— Parce que vous appelez cela aider, de fournir à ces malheureux des substances toxiques ? s'indigna Baptiste, soutenant le regard – souligné de khôl – de son interlocuteur, lequel éclata de rire.

— Mais dans quel siècle tu vis, mon pote ? Tu espères encore les sortir de leur merde avec des cantiques, comme au temps des croisades ? Faire disparaître la misère du monde en l'aspergeant d'eau bénite ? Ils ont besoin de s'étourdir un peu, mon pauvre vieux, et la fumée qu'ils recherchent, c'est pas celle de l'encens, crois-moi ! Ils vivent un enfer sur terre, tu crois pas qu'on peut l'adoucir avec quelques paradis artificiels ? Si tu leur refuses cet expédient, autant les laisser crever en leur faisant croire que Dieu a décidé qu'ils en bavent. Je suppose que tu es aussi contre les antalgiques ? Contre l'euthanasie ? Enfin bref contre tout ce qui peut soulager la souffrance ?

Intrigués par l'altercation, les danseurs s'étaient rapprochés et faisaient cercle autour de Baptiste et du père Guilbert qui s'affrontaient au centre de la piste. Pour ne rien perdre de l'échange, le disc-jockey lui-même avait fait taire ses platines.

— Je suis contre tout ce qui n'est pas l'œuvre de Dieu, tout ce qui va à l'encontre de Sa volonté !

Une voix dans l'assemblée répondit à Baptiste :

— Et pourquoi Dieu a créé le shit ? Pour shooter les ruminants promis à l'abattoir ?

— Bien dit ! s'esclaffa le père tatoué, qui défia Baptiste du regard. Qu'est-ce que tu réponds à ça ? Tu vas nous sortir que ce n'est pas une invention de Dieu, mais du diable ?

Sentant qu'il perdait du terrain face au médiatique et populaire Louis Guilbert, Baptiste dégaina un ultime argument :

— Demandez-vous plutôt lequel de nous deux est le plus proche de la parole du Christ !

La réponse ne se fit pas attendre, et c'est un peu rudement que l'assemblée unanime la signifia à Baptiste, lequel dut se résoudre à battre en retraite sous les huées et les quolibets.

N'était-ce qu'une impression ? Depuis les derniers événements, Baptiste ressentait une hostilité latente de la part du personnel de chez Amico et une gêne certaine du côté de l'équipe de direction. Des salutations lèvres pincées, des sourires empruntés, tout lui laissait penser que sa cote, tout comme celle des actions de la fabrique, dégringolait en chute libre. Même Basquin, à qui il avait pourtant rendu un fier service, évitait son regard lorsqu'il le croisait dans les couloirs. La seule douceur encore perceptible était celle qui émanait du laboratoire et continuait d'embaumer le bâtiment : un parfum sucré qui luttait avec peine contre l'acidité générale.

Devant lui les portes se fermaient une à une, Baptiste ne pouvait penser sans haut-le-cœur à la veillée de l'Entraide catholique, à l'hôpital Saint-Irénée, à sa relation avec Constance. Tout ce qui faisait sa joie, tout ce qui le soutenait jusqu'à présent devenait source d'amertume ; il craignait même l'arrivée de la nuit, si souvent troublée par ses réveils angoissants. Il refusait de s'en ouvrir à sa femme, afin de ne pas alourdir la liste des muets reproches qu'elle lui adressait. Pour les mêmes raisons il lui avait caché ses déconvenues des derniers temps, imaginant sa réponse : il les aurait évitées s'il avait diminué ses activités extra-professionnelles qui, toutes généreuses qu'elles fussent, l'éloignaient chaque jour davantage de sa famille.

Tout cela lui pesait et accentuait sans doute ses malaises, mais surtout lui donnait le sentiment de vivre la plus grande des injustices. Seule sa confiance en Dieu lui permettait de tenir encore debout.

Ce jour-là fournit à Baptiste son lot de tâches routinières, qu'il accomplit comme un automate, et un exceptionnel trou dans son emploi du temps du soir lui permit de rentrer chez lui avant l'heure du dîner. Une animation inhabituelle régnait dans la maisonnée ; il entendit le joyeux babil de ses filles à l'étage et sur les lèvres de Constance l'ombre d'un sourire se dessina, rendant à son visage cette lumière qui l'avait désertée ces derniers temps.

Affairée à des préparatifs de repas, sa femme lui demanda machinalement s'il avait passé une bonne journée. Il nota que Constance l'avait appelé par son prénom et n'avait pas utilisé le « mon chéri » ou « mon amour » dont elle ponctuait habituellement ses demandes.

— Ne m'en parle pas ! Ça a été horrible...

Toute à ses tâches culinaires, elle n'accorda aucune attention à sa réponse :

— Les filles sont dans leur bain, elles se font belles !

Puis, au prix de ce qui parut à Baptiste un véritable effort, elle se tourna vers lui avec le même sourire contraint :

— C'est bien, je suis contente que tu ne sois pas rentré trop tard, un jour comme celui-là...

Baptiste, saisissant l'occasion de revenir sur l'événement qui lui avait valu les remarques acerbes de son épouse, voulut relancer la discussion :

— Pourquoi est-ce que je me suis laissé faire par Basquin ? Quand je pense à ce que j'ai été obligé de dire à ces pauvres gens !

— La journée est terminée, Baptiste. Le principal est que tu n'aies pas oublié pour ce soir...

C'est alors que le portable de Baptiste fit entendre son timbre aigrelet :

— Ah non ! Il ne manquait plus que Ducatel !

Il décrocha sans même regarder le numéro qui s'affichait. La voix altérée de l'infirmière de Saint-Irénée le surprit :

— Monsieur Théaux ? Je suis désolée de vous déranger à cette heure, mais c'est à propos du petit Claude : on a reçu ses analyses cet après-midi et elles ne sont vraiment pas bonnes... très mauvaises même ! Il a des antennes ce petit, quand il a vu nos têtes il a deviné et maintenant il est complètement déprimé. Ses parents sont venus lui rendre visite, mais ça n'a rien changé. Enfin voilà : depuis deux heures il demande à vous voir ; on a bien essayé de lui dire de patienter jusqu'à vendredi, mais...

Elle s'interrompit, trop émue pour poursuivre.

— Mais quoi ? Qu'est-ce qu'il a répondu ?

Il entendit distinctement l'infirmière avaler péniblement sa salive avant de poursuivre :

— Qu'il ne pourrait peut-être pas attendre jusqu'à vendredi...

— Dites-lui que j'arrive tout de suite, lança Baptiste, sans hésiter.

Sans un mot d'excuse pour Constance il enfila son manteau, sortit de la maison, sauta dans sa voiture et fila vers Saint-Irénée.

C'est en civil que Baptiste arriva dans la chambre du petit Claude. L'enfant, très abattu, était adossé à ses oreillers et sembla dans un premier temps ne pas réagir à la présence de son visiteur. Baptiste se pencha vers lui et lui murmura à l'oreille :

— Eh ben alors, mon éléphanteau préféré ?

Pensant que l'enfant ne le reconnaissait pas dans son costume trois pièces et sans son maquillage, Baptiste chercha désespérément dans la chambre, puis sur lui, un accessoire qui pourrait rappeler Théo. Il trouva dans sa poche, parmi quelques Trichoco et sucreries diverses, une sucette rouge oubliée là, qu'il destinait sans doute à ses filles. Il la tint devant son nez et tenta quelques grimaces pour soutirer un sourire au petit garçon. Claude entrouvrit les yeux :

— Tu n'avais pas besoin de mettre ton nez, Théo, j'avais reconnu tes yeux…

Très ému, Baptiste l'embrassa sur le front :

— On m'a dit que ça n'allait pas fort, alors tu vois, je suis venu tout de suite !

— J'en ai marre de cet hôpital, je suis là depuis des mois et ils n'arrivent pas à me guérir ! Ni les docteurs, ni le Bon Dieu…

— Tu ne peux pas dire ça, le Bon Dieu ne nous abandonne jamais !

— Ben moi, il m'a oublié ici…

— Mais non il ne t'a pas oublié, la preuve : je viens de sa part, tu vois il t'a envoyé ton vieux copain Théo pour te dire qu'il ne te laissera jamais tomber.

Le petit garçon grimaça un pauvre sourire et glissa sa main dans celle de Baptiste.

Quelques instants plus tard Claude s'était endormi. Baptiste retira délicatement sa main de celle de l'enfant, remonta la couverture sur lui et quitta la chambre.

Le temps de son aller-retour à Saint-Irénée et de sa conversation au chevet du petit Claude, la nuit était tombée. Lorsque Baptiste ouvrit la porte de la maison, il fut surpris de la trouver plongée dans une obscurité totale ; seule une faible lueur provenant de la salle à manger semblait lui indiquer le chemin à suivre. Ne songeant même pas à appuyer sur l'interrupteur, il se dirigea vers la source lumineuse et se figea sur place, atterré par le spectacle : sur un coin de la table l'attendait une part de gâteau sur laquelle scintillaient deux jolies bougies roses.

— Tes filles ne t'ont pas oublié, elles ! Jeanne et Bernadette t'ont laissé ta part de leur gâteau d'anniversaire…

Surpris par cette voix glacée, Baptiste se retourna pour deviner la silhouette de Constance en tenue de nuit qui, telle la statue du Commandeur, se tenait sur le seuil.

Un peu plus tard, dans la cuisine, Baptiste hébété et honteux grignotait sa part de fraisier pendant que sa femme, debout, une cigarette à la main, se versait un verre de whisky.

— Tu fumes, maintenant ? demanda-t-il, cherchant comment entamer la discussion avec la vivante incarnation du reproche qui continuait de le foudroyer du regard.

— Comme tu vois… et je bois aussi, au cas où tu ne t'en serais pas aperçu.

— Claude n'allait pas bien et c'est terrible un enfant qui vous parle de la mort comme si sa vie se résumait à lutter contre elle. C'est pour ça que…

Constance abandonna sa raideur, s'assit et exhala un grand soupir de fumée :

— Je sais, Baptiste. Et n'essaie pas de m'attendrir avec ce petit garçon, tu y parviendrais sans peine. Tu as toujours tes raisons et elles sont toujours défendables, seulement ta vie est manifestement ailleurs et moi je suis seule, vraiment seule.

Ses yeux s'humectèrent, mais elle ne céda pas à la tentation des larmes :

— Au point que, depuis un moment, je vois quelqu'un…

Se méprenant sur le sens à donner à cette phrase, Baptiste cria presque :

— Tu as quelqu'un dans ta vie ?

— Quelqu'un qui m'écoute, quelqu'un dont c'est le métier, Baptiste, précisa Constance, agacée. J'en suis réduite à voir un psy une fois par semaine. Ce qui m'a permis de beaucoup réfléchir.

Elle aspira un grand volume d'air avant de se lancer :

— Aussi je crois qu'il vaut mieux qu'on se sépare, Baptiste.

— Comment ? C'est lui qui t'a mis cette idée dans la tête ?

L'agacement de Constance tourna à l'exaspération :

— Baptiste, je n'ai besoin de personne pour me mettre des idées dans la tête, j'en ai suffisamment, surtout des noires en ce moment. J'ai pris le temps d'analyser objectivement notre situation et je suis convaincue que c'est la meilleure solution. De toute façon, je n'en peux plus.

— Pourquoi ne m'en as-tu pas parlé d'abord ? Ou bien encore au père Lescure, ton confesseur ?

— Premièrement je ne me confesse plus depuis longtemps, deuxièmement si c'était pour l'entendre me dire exactement les mêmes choses que toi…

— Mais alors de quels problèmes parles-tu à ton psy que tu ne peux pas me confier à moi ?

Constance explosa :

— Mais Baptiste, mes problèmes, c'est toi !

Elle alluma une nouvelle cigarette :

— J'étais fière de ce que tu étais, Baptiste, de ta générosité, de ton dévouement, je t'aimais pour ça aussi. Mais à force de te consacrer aux autres, tu as complètement cessé de nous regarder, et moi j'ai fini par avoir l'impression d'aimer dans le vide.

Baptiste, soudain grave, adopta un ton et des arguments qu'un peu de bon sens et de psychologie aurait dû l'amener à éviter :

— Constance, il n'y a pas de vide, il y a toujours la présence de Dieu et l'engagement que nous avons pris tous les deux, devant Lui, l'aurais-tu oublié ?

Ce qui ne manqua pas de déclencher la fureur de son épouse :

— Fous-moi la paix avec Dieu, maintenant, d'accord ? Je ne crois déjà plus en nous, alors Dieu... ! S'il y a une foi que j'ai besoin de retrouver c'est la foi en moi et pour ça j'ai besoin d'être seule, loin de toi. Tu peux comprendre ça ? Non, bien sûr !

Baptiste n'avait jamais entendu la douce

Constance s'exprimer avec une telle véhémence. Il tendit les bras devant lui, comme s'il repoussait une attaque démoniaque :

— Calme-toi, tu vas réveiller les petites. Ce n'est pas toi qui parles, là, tu es sous l'emprise de ce médecin qui te détourne de ta foi.

Elle éclata d'un rire grinçant :

— Et tu comptes peut-être faire venir un exorciste ?

— J'ai eu des paroles très dures. Il faut dire qu'il m'avait poussée à bout. Alors voilà, hier je lui ai demandé de partir. Sa valise, son ordinateur, l'adresse d'un hôtel proche de son usine, il n'avait rien d'autre à emporter, sauf peut-être quelques souvenirs de notre vie commune. Je crois que ma violence lui a réellement fait peur. Il est vrai que je ne me reconnaissais pas : une telle détermination, un tel changement, si rapide ! Il faut croire que c'était plus que mûr. Je ne sais même pas ce que je ressens, sinon que c'est la première fois de ma vie que j'ai l'impression de prendre une véritable décision.

Derrière le divan sur lequel était allongée Constance, le docteur Delastens observa, comme à son habitude, un silence attentif.

— C'est terrible de prendre à ce point en grippe quelqu'un que l'on a tant aimé. Mais quand je pense que j'aurais pu continuer à me conformer aux valeurs de mon mari et à me ratatiner dans ce rythme immuable : la messe dominicale, la catéchèse, les gâteaux pour la kermesse, tout cela par crainte du jugement de Dieu... Non ! Il a fallu que je fasse sauter ce carcan et je dois bien reconnaître que c'est grâce à vous que j'y suis parvenue. Pauvre Baptiste ! Est-ce qu'il peut seulement comprendre ce qui lui arrive... et ce qui m'arrive ?

Elle marqua une pause puis, pensive, reprit :

— Au fond je crois que depuis des années je n'ai rien fait d'autre que de transférer – c'est bien le mot ? – sur Baptiste l'image de mon père et des valeurs qu'il m'avait inculquées... mon père qui...

— Oui ? susurra Delastens soudain alerté par ce mot laissé en suspens.

— Il était l'autorité incarnée et il exerçait une incroyable influence sur moi, mais comme toutes les petites filles je lui vouais un amour inconditionnel : j'étais prête à me soumettre à tous ses commandements, aussi sévères et nombreux qu'ils fussent...

— Dix, par exemple ? hasarda Delastens, assez satisfait de son interprétation en forme de boutade, tentant encore une fois d'attirer l'attention de sa patiente sur le lien entre autorité paternelle et Loi divine.

Il venait de relire, pour son séminaire, *L'Avenir d'une illusion*, de Sigmund Freud, où celui qu'il considérait comme son père spirituel mettait à mal la religion, cette « névrose obsessionnelle de l'humanité ». Ce texte, fraîchement redécouvert, inspirait ses interprétations de la semaine, mais l'absence de réaction de sa patiente lui fit se demander si elle avait saisi la finesse de son allusion. Déçu, il laissa Constance reprendre le fil de son discours :

— C'est comme une soudaine libération, si radicale qu'elle me donne le vertige. Ce qui m'arrive est tout de même le contraire absolu de ce que je désirais…

— Le contraire ? Vraiment ? demanda Delastens, d'un ton chargé de sous-entendus.

— De ce que je croyais désirer, du moins… de toute façon j'ai vécu jusqu'à aujourd'hui dans la croyance !

Elle s'interrompit avec un sourire :

— C'est étonnant comme dans notre langue « je crois » et « croix » sonnent de la même façon…

Puisant son audace dans l'idée que son psy en avait entendu d'autres, elle s'autorisa à explorer devant lui le paysage sulfureux où la conduisaient ses associations :

— J'étais très troublée, petite fille, par le

corps torturé de Jésus… je me voyais bien essuyer ses plaies avec mes cheveux… au fond ce furent mes premiers émois sexuels… deviner ce qui se cachait sous ce linge, embrasser cette bouche, sentir la douceur de cette barbe…

Elle s'arrêta net et dans le silence qui s'ensuivit elle crut percevoir le grattement soyeux de la main de son analyste caressant pensivement sa moustache.

Baptiste prit ses nouveaux quartiers dans une chambre standard du *Bed and Budget* de la zone industrielle. Après avoir contemplé par la fenêtre le paysage morose d'usines et d'entrepôts qui se déroulait à ses pieds, il demeura un long moment assis sur le lit, remâchant les circonstances de son départ de la maison, ainsi que les paroles de ses filles qui, les larmes aux yeux, lui avaient demandé :

— Tu pars pour longtemps, papa ?

Et il se réentendit leur répondre, d'une voix blanche :

— Je ne sais pas encore. Papa et maman ont besoin de réfléchir chacun de leur côté... enfin, surtout maman !

Il avait posé un jour de congé, incapable d'affronter le climat hostile de la fabrique, mais la perspective des longues heures à traverser sans objectif précis était loin de le réjouir. Il se résolut à défaire sa valise et à en ranger méthodiquement le contenu, ce qui lui occupa l'esprit. Ouvrant le tiroir de la table de chevet, il y trouva une Bible, qui lui apparut comme un signe et le réconforta un peu. Il la feuilleta : tombant sur un épisode de la Genèse, il s'allongea sur le lit pour s'absorber dans sa lecture.

La sonnerie de son portable le fit sursauter ; espérant qu'il s'agissait de Constance, il jeta un rapide coup d'œil sur l'écran : Ducatel !

Surpris lui-même par la brutalité de sa réaction, il ne laissa pas une seconde à son interlocuteur pour dérouler sa plainte :

— Bon alors, Ducatel, ça va bien maintenant ! Vous allez me lâcher un peu ! Qu'est-ce que j'y peux si votre femme vous a quitté, moi ? Prenez sur vous, bon sang ! Est-ce que je me plains, moi ? Et pourtant je peux vous dire qu'en ce moment…

Il s'interrompit net en entendant ce que son collègue avait à lui annoncer et son visage blêmit pendant que Ducatel lui détaillait la consternante nouvelle qui les concernait tous deux.

Le lendemain, dans le hall de l'usine Amico, Basquin tenait obligeamment la porte à une nouvelle fournée de cadres qui, les bras chargés de leurs affaires personnelles, franchissaient le seuil tête baissée. Dispensés d'accomplir leur préavis, Baptiste et Ducatel fermaient la marche, croulant sous le poids de leurs cartons. Ducatel sortit le premier et, se retournant vers Baptiste :

— Bonne chance, mon vieux, pour la suite ! Sachez que je ne vous en veux pas pour votre emportement d'hier, au téléphone. Je crois même que ça m'a secoué dans le bon sens. J'envisage la vie autrement maintenant : je dois considérer ce licenciement comme une opportunité et je saurai la saisir.

Baptiste acquiesça d'un signe de tête, incapable de prononcer un mot. Lorsqu'il passa devant son supérieur hiérarchique, celui-ci se fendit d'une chaleureuse poignée de main :

— Rappelez-vous ce que je vous ai dit, Théaux : c'est peut-être une chance pour vous ! Je crois savoir que vous pratiquez l'art du clown à vos heures perdues, non ? Une passion comme celle-là devrait vous aider dans votre reconversion.

Il lui assena une tape sur l'épaule :

— Allez, Théaux, profitez de ce temps libre pour l'exercer à fond.

« Pauvre Baptiste… quand je pense à ce que je vais te faire encore subir ! » Il tressaillit : s'était-elle, ces derniers jours, lassée de le persécuter ou bien en avait-il oublié les inflexions sournoises, toujours est-il que la Voix était de retour, plus insidieuse que jamais. « *Certes, je ne t'ai pas ménagé, mais le pire reste à venir…* »

Il ne manquait plus qu'elle et ses sinistres prédictions… Au-dehors un orage se déchaînait, dont les éclairs transperçaient les minces rideaux de la chambre. Assis dans son lit du *Bed and Budget*, hagard et accablé, Baptiste fixait l'écran noir de la télévision.

« *… Tu es vraiment en droit de te demander pourquoi mais, encore une fois, comment te fournir une explication qui se tienne ? Je serais bien tenté de te raconter cette histoire drôle dans laquelle un pauvre homme, dont l'existence n'a connu que drames et déchirements, demande à Dieu, sitôt franchies les portes du* *ciel, la cause d'un tel acharnement et où l'Eternel, embarrassé, finit par lui répondre : "Je ne sais pas... je ne t'aime pas, c'est tout" »...*

Une histoire drôle, maintenant ! Le moment était pour le moins mal choisi et Baptiste allait répliquer quand, perfide, la Voix ajouta :

« ... *Souviens-toi, Baptiste : l'injustice est la marque même du Divin... alors apprête-toi à subir davantage encore mais, à compter d'aujourd'hui, fais en sorte que ce soit avec superbe.* »

Le crissement de la moustache de Delastens avait embrasé le fantasme érotique de Constance. A la séance suivante elle se dit que c'était maintenant ou jamais ; si elle devait en faire l'aveu à son analyste, il lui fallait se lancer et franchir un obstacle supplémentaire sur le chemin de sa libération. Le besoin d'une cigarette se fit impératif et elle se la promit pour l'après-séance. Le whisky, lui, attendrait jusqu'au soir. Elle se racla la gorge :

— Je crois que ces derniers temps j'ai eu quelques mauvaises pensées à votre égard... articula-t-elle, espérant que sa position allongée ne permettrait pas à l'analyste de contempler la rougeur qui empourprait ses joues.

— Des pensées agressives ? se fourvoya Delastens, qui, depuis l'allusion ratée de la séance précédente, s'était pourtant promis la plus grande prudence.

— Au contraire… je crois… que j'ai du désir pour vous… Et…

Elle expira une grande quantité d'air.

— Et j'en suis même à me demander s'il serait envisageable que vous et moi…

Constance n'imaginait pas qu'une telle inconvenance puisse un jour sortir de ses lèvres. Ahurie par ce qu'elle venait crûment de proférer, elle pensa que les résultats de sa séparation d'avec Baptiste se montraient réellement sidérants.

— Ce n'est pas une option ! trancha précipitamment Delastens, pris au dépourvu par l'audace subite d'une patiente d'ordinaire si policée.

La phrase qu'il venait de prononcer n'était pas de lui : il l'empruntait à une série télévisée qu'il avait vue récemment – *En analyse,* avec Gabriel Byrne – dans laquelle un thérapeute l'utilisait pour repousser les avances trop pressantes de l'une de ses patientes. Il avait trouvé la formule astucieuse et l'avait gardée en réserve, ne pensant pas avoir à s'en servir aussi rapidement. Peut-être un peu trop rapidement, se dit-il.

Constance, sonnée par ce qui venait de se produire, fut raccompagnée à la porte du cabinet par un Delastens peu fier de sa conduite de la séance. Sitôt sur le trottoir, tout en tirant à profondes bouffées sur la cigarette qu'elle s'était promise, elle sut qu'elle ne trouverait jamais le courage de se rendre à son prochain rendez-vous.

Quant au whisky, qui devait attendre la paix du soir, elle l'avala d'un trait dans le premier bistrot venu.

La plus sordide des cellules des Baumettes n'aurait pas paru moins accueillante à Baptiste que sa chambre du *Bed and Budget.* Il y tournait en rond, incapable de fixer son attention sur quoi que ce soit. La Bible ne lui apportait plus le secours attendu, il se surprit même à la jeter dans la table de nuit. S'efforçant de ne penser ni au bilan de ces derniers jours, qui l'aurait désespéré, ni aux sombres augures de la Voix, il consulta son agenda. Une croix sur le vendredi, le premier d'un mois impair, lui rappela que c'était le jour de Saint-Irénée, seule lueur dans le morne tableau de son existence actuelle. Il avait quelques comptes à régler avec le DRH et était bien déterminé à lui dire son fait, mais l'entretien risquant de virer au clash, il exécuterait auparavant son numéro.

Il alla chercher sa voiture sur le parking de l'hôtel et démarra en oubliant d'accrocher son crucifix au rétroviseur.

Une heure plus tard, c'est très déprimé que Théo l'auguste fit son entrée dans la salle de jeux du service de pédiatrie. Sans conviction il lança à ses petits malades son habituel :

— Bonjour les petits zéléphants !

Tout à ses préoccupations, il se livra à quelques pitreries, prêtant à peine attention aux réactions des enfants. Il s'aperçut qu'il avait omis de remplir ses poches des sucreries dont il se servait habituellement pour ses tours de magie : aucun bonbon ne sortirait cette fois des oreilles ou du nez des petits malades. Cette pensée l'attrista et il s'arrêta au milieu de son numéro, baissant les bras.

C'est alors seulement qu'il remarqua le fauteuil vide du petit Claude. Alarmé, il chercha du regard l'infirmière qui n'était pas présente dans la salle. Incapable de reprendre ses facéties il courut à sa recherche, ses larges savates claquant sur le carrelage. Il l'aperçut enfin, qui poussait un chariot de médicaments.

— Où est Claude ?

Elle tourna vers lui un visage bouleversé. Baptiste, criant presque, répéta sa question :

— Où est Claude ? Pourquoi n'est-il pas dans la salle de jeux ?

Un silence douloureux fut la seule réponse de l'infirmière ; Baptiste se précipita dans le couloir, ouvrant une à une les portes de chaque chambre, jusqu'à trouver celle du petit garçon. Depuis le seuil il put voir une couverture pliée au pied du lit abandonné de l'enfant, sur le matelas duquel était posée une valise. Un homme et une femme, dont il ne voyait que le dos accablé, vidaient les tiroirs de l'armoire métallique. Un sanglot échappa à Baptiste, qui fit se retourner le couple.

Les parents du petit Claude, dans le désespoir absolu, découvrirent avec stupeur, dans l'encadrement de la porte, le spectacle incongru d'un auguste en larmes dont l'immense sourire dessiné au crayon bavait en larges traînées.

Le visage encore recouvert de son fard blanc dégoulinant, Baptiste pleura longtemps sur le lit de sa chambre d'hôtel. Il avait quitté Saint-Irénée en toute hâte, son costume d'auguste en boule dans un sac plastique, abandonnant ses petits malades aux blagues féroces du sinistre Momo et oubliant, dans son bouleversement, de régler ses comptes avec le DRH.

Lorsqu'il fut moins secoué de sanglots, il éprouva le besoin irrépressible d'appeler Constance dont la voix, même glaciale, était la seule capable de lui apporter quelque réconfort. Après quelques sonneries, il entendit Jeanne et Bernadette se disputer l'appareil, tout à leur joie de parler avec leur père. Elles lui apprirent que Constance était absente : leur mère les avait prévenues qu'elle rentrerait tard, après le rendez-vous chez son médecin, détail qui ajouta à la détresse de Baptiste. Il ne voulut rien en laisser paraître et s'inquiéta de leur santé ainsi que de leurs résultats scolaires. Ses filles ne furent pas dupes de son enjouement factice :

— Tu es enrhumé, papa ? lui demanda Jeanne, soucieuse.

— Oui, je crois que j'ai attrapé froid l'autre soir en distribuant des repas. Une bonne soupe, une bonne nuit de sommeil et ça ira mieux demain, répondit-il, bricolant une explication pour rassurer les jumelles puis, sentant revenir les larmes, il écourta la conversation et recommanda à ses filles d'embrasser bien fort leur mère de sa part.

Il raccrocha précipitamment.

Un peu plus tard, épuisé de chagrin, il ouvrit le tiroir de la table de nuit et en sortit la Bible mais, incapable de se fixer sur quelque chapitre que ce fût, il se décida à allumer le téléviseur : ce que lui apprit le journal du soir le figea devant l'écran.

Un flash spécial était consacré à une religieuse octogénaire, sœur Sidonie, paralysée depuis des décennies et qui venait de retrouver l'usage de ses jambes après un pèlerinage à Lourdes. Les médecins et les représentants du Vatican, interviewés à ce sujet, insistaient tous sur l'aspect scientifiquement inexplicable, donc très certainement d'origine divine, de la guérison spectaculaire de la sœur. Suivirent des images de la miraculée elle-même qui remerciait le Seigneur devant la caméra, esquissait même quelques discrets pas de danse pour attester de sa vigueur retrouvée et dédiait sa guérison au vénéré pape Pie XII. C'était lui, affirmait-elle, qui avait intercédé en sa faveur auprès du Seigneur, pour la récompenser de son pieux soutien au projet de sa canonisation.

Le présentateur passa à un autre titre mais Baptiste, médusé, demeura figé, la télécommande à la main. Il lui fallut quelques minutes pour sortir de son engourdissement qui laissa place à une surexcitation : jaillissant du lit il fondit sur son ordinateur portable et tapa le nom de la religieuse sur le moteur de recherche Google. Une page entière de réponses apparut sur l'écran, qu'avec une sorte de délectation morbide il ouvrit une à une, un rictus haineux déformant sa bouche :

« Sœur Sidonie : lève-toi et marche ! »

« La sœur miraculée ne marchait plus, elle danse maintenant ! »

« Le futur saint Pie XII a entendu mes prières et Dieu les a exaucées, déclare sœur

Sidonie à nos confrères du magazine *Signe de croix.* »

C'en était trop : secoué par un rire nerveux, Baptiste parcourut inlassablement les titres qui se brouillaient et dansaient devant ses yeux. Prises dans un maelström, ses pensées se lancèrent dans une valse diabolique : sous le regard éteint du petit Claude, assis dans son lit de Saint-Irénée, les SDF édentés lui réclamaient leur ration de purée pendant que ricanait le père Louis Guilbert, dont l'œil moqueur le regardait franchir le seuil de l'usine Amico, ses affaires sous le bras. Constance, allongée sur un divan, une mousse blanchâtre aux lèvres, vomissait des blasphèmes à la grande joie de son psychanalyste, lequel arborait le costume pailleté de Momo le clown blanc et, couronnant le tout, dansant un charleston endiablé sur une estrade encadrée d'ampoules multicolores, sœur Sidonie vociférait des louanges à l'intention de son pape préféré.

Afin de s'arracher à ces visions cauchemardesques, Baptiste bondit hors du lit pour ouvrir à toute volée la porte de sa chambre : il se retrouva nez à nez avec Basquin, lequel arborait un large sourire. Une lueur ironique dans le regard, celui-ci lui répéta ses encouragements mais Baptiste remarqua, malgré son trouble, que les paroles de son supérieur hiérarchique n'étaient pas synchrones avec le mouvement de ses lèvres, comme dans un film mal doublé :

— Je crois savoir que vous pratiquez l'art du clown à vos heures perdues, non ? Une passion comme celle-là devrait vous aider dans votre reconversion. Allez, Théaux, profitez de ce temps libre pour l'exercer à fond.

Le poing de Baptiste s'abattit de toutes ses forces sur le visage de Basquin, dont la silhouette découpée dans du carton bascula comme celle d'un personnage de tir forain, laissant la voie libre vers le couloir de l'hôtel. Celui-ci était recouvert d'une épaisse couche de bonbons et de sucettes, lesquels jaillissaient en crépitant des pommeaux du système anti-incendie, rebondissant sur la tête et les épaules d'un homme décharné. Baptiste reconnut le prédicateur de Marble Arch qui, juché sur une caisse de whisky, haranguait un Dieu invisible. Fasciné comme il l'avait été devant l'écran de son téléviseur, il regarda l'imprécateur hurler silencieusement sa colère, le poing tendu, et il se sentit soudain en profonde empathie avec l'homme hirsute et dépenaillé qui réglait ses comptes avec le ciel.

Il progressa péniblement sur le tapis de friandises et ouvrit la porte de l'issue de secours pour gravir quatre à quatre les marches de l'escalier de service. Au dernier étage, une échelle métallique menait à une trappe ouvrant sur le toit de l'hôtel. Hagard, Baptiste fit irruption sur la terrasse du *Bed and Budget* et aspira avidement une goulée d'air comme un plongeur suffoquant remontant d'un grand fond. Il contempla la voûte céleste où s'accumulaient des nuées orageuses.

— Mais qui est-ce, nom de Dieu ? Qui est cette Sidonie ? Pourquoi elle ? Qu'est-ce qu'elle a fait pour mériter ta grâce ? Il fallait qu'il prie pour la canonisation de Pie XII tous les jours, mon petit Claude, pour que tu consentes à lui laisser une chance ?

Il se plia en deux, brisé par un sanglot.

Un coup de tonnerre déchira les ténèbres, éclat de rire sardonique venu de l'au-delà, et la fiente d'un pigeon qui somnolait sur l'enseigne lumineuse de l'hôtel vint s'écraser sur le front de Baptiste, comme un crachat céleste. Il s'entendit alors hurler sa révolte, en des termes que jamais – fût-ce en pensée – il n'aurait imaginé utiliser un jour pour s'adresser au Créateur :

— Et tu te fous de ma gueule en plus ?

En guise de réponse, une forte averse s'abattit sur un Baptiste aux yeux exorbités, trempé jusqu'aux os, le poing tendu vers le ciel et passé de la foi aveugle à la sainte colère.

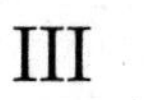
III

Ce matin-là, les premiers touristes qui mitraillaient de leurs objectifs la façade de Notre-Dame de Paris eurent la surprise de voir apparaître, traînant une caisse vide, un auguste à la mine blafarde et au nez rouge, dans un costume à carreaux trop grand pour lui et à qui des savates démesurées donnaient une démarche de canard. Les appareils photo se détournèrent des tours majestueuses de la cathédrale pour se braquer sur la pittoresque silhouette escaladant sa caisse, défiant du regard les gargouilles penchées au-dessus de lui, qui semblaient le narguer depuis un balcon.

Soudain, levant le poing vers le ciel et provoquant un envol de pigeons, l'auguste Théo lança d'une voix de stentor :

— Il y a quelqu'un ? Il y a quelqu'un là-haut ? Ne te cache pas, je sais que Tu es là ! Tu peux te murer dans ton silence si Tu le souhaites, de toute façon Tu en as l'habitude, depuis plus de deux mille ans que l'on ne t'a pas entendu t'exprimer ! Alors écoute-moi bien, Toi, parce que j'ai deux mots à te dire. Enfin deux mots, c'est une façon de parler, il m'en faudra bien davantage pour dresser l'inventaire de tes grâces. Mais j'ai le reste de ma vie devant moi pour la dérouler, cette liste. Tout ce temps libre que Tu m'as accordé dans ton infinie bonté, je vais l'employer, crois-moi, et inlassablement.

Quelques-uns des touristes, rejoints par des passants curieux, commencèrent à s'attrouper pour écouter l'étrange imprécateur. Baptiste ne faisait plus qu'un avec Théo, sentant monter en lui la lave d'une excitation qu'il n'avait jamais encore éprouvée. Son discours se déroulait sans accroc, comme s'il bouillonnait au plus profond de lui depuis toujours, jaillissant enfin sous la forme d'une coulée d'imprécations qui se répandait en larges boucles sur le parvis de la cathédrale :

— Mais, Bon Dieu ! Qui a eu la riche idée de t'appeler Bon Dieu, alors que Tu t'évertues à accabler tes pauvres créatures ? Mais qui a pu parler de justice divine quand Tu te répands en injustices ? Tu veux savoir lesquelles ? Ah, mais c'est que la liste est infinie ! Qu'à cela ne tienne : l'infini, tout comme l'éternité, ça ne devrait pas beaucoup t'impressionner.

La petite foule des auditeurs grossissait, intriguée par la véhémence de l'auguste :

— Par quoi commencer ? Allez ! A propos d'injustice, tirons-en une au hasard dans un chapeau de clown : gardons Verdun, Auschwitz ou Hiroshima pour la bonne bouche, ces monstruosités que Tu n'as pas empêchées suffiront à nous occuper plus tard. On va commencer par les plus récentes, en piochant au hasard : le tsunami, par exemple ! Alors Toi si fort, Toi le Tout-Puissant, qui as été capable d'ouvrir la mer pour laisser passer Moïse et les siens, peux-tu me dire pourquoi diable Tu l'as refermée sur ces malheureux Asiatiques ? Quel crime avaient-ils commis ? T'avaient-ils fait insulte, ces innocents que Tu as noyés comme on noie une portée de chatons dans une lessiveuse ? Et tous ces pauvres gens dont Tu as fait trembler le sol, d'un coup de tes divins talons, Haïti par exemple où – je te le rappelle – tout le monde croit en Toi et te voue une inébranlable foi ? Et les Japonais, qu'est-ce qu'ils t'avaient fait, ceux qui ont disparu sous les décombres de leurs maisons ou sous les vagues démesurées de ta colère, ou bien encore ceux qui vont périr au petit feu nucléaire de tes divins rayons ? Tout cela ressemble bigrement aux plaies que Tu as autrefois répandues sur l'Egypte, aux nuages de sauterelles que Tu savais si bien téléguider du temps de ta splendeur et qui s'abattent aujourd'hui encore sur les cultures de contrées où des enfants se meurent de faim, aux séismes et aux orages de feu que tu dépêchais sur Sodome et Gomorrhe et qui déciment encore de nos jours des populations entières. Il s'agissait bien pour Toi, à l'époque, de châtier les comportements déviants, non ? Alors, réponds-moi, quels horribles péchés ont-elles commis aujourd'hui, tes nouvelles victimes, pour provoquer ta divine colère ?

A bout de souffle, il s'interrompit un instant. Emportés par sa vigueur, quelques-uns des spectateurs s'autorisèrent à applaudir le discours de l'auguste.

— Il y a quelqu'un ? Il y a quelqu'un là-haut ? reprit Théo, véhément. Je sais que Tu es là, alors réponds-moi ! Je te préviens : je ne te laisserai pas en paix tant que Tu ne m'auras pas répondu. Oui, je sais, il a une drôle de trombine, ton juge avec son nez rouge, mais il sera là tous les jours, il en fait le serment, il sera ton procureur, il passera ses soirées à instruire ton procès, il amassera les preuves, et elles ne manquent pas… Je ne me lasserai pas de te condamner par contumace, et il faudra bien qu'un jour Tu te présentes en personne à l'audience de mon tribunal.

Le jour suivant, les touristes continuèrent de s'attrouper, braquant sur Théo caméscopes, appareils photo et tablettes. Les enfants contemplaient avec stupeur cet inhabituel auguste, éructant et furieux, bientôt éloignés par des mères comprenant qu'il ne s'agissait pas d'un numéro de cirque.

Sortant de la foule une voix indignée se fit entendre :

— C'est un scandale ! On ne peut pas s'adresser ainsi à Dieu, surtout dans un lieu consacré !

Théo ignora superbement la remarque et poursuivit, galvanisé par la présence de son auditoire :

— Ah, je vais te les détailler, moi, jour après jour, tes manquements ! Une vie d'auguste en colère n'y suffira pas. Colère ? Oh, comme il est faible ce petit mot pour te dire ce que je ressens devant le spectacle que Tu nous proposes, celui du monde évidemment, mais plus près de nous celui de la rue, de ces pauvres gens qui ne dorment pas dans les églises, parce qu'elles sont fermées la nuit par tes ministres, mais sous leurs porches. Licenciés, chômeurs, sans-abri, miséreux ! Sans parler de ceux qui croient en Toi et que tu accables... Ah, tu les récompenses bien mal tes serviteurs, ceux qui ont cru en ta bienveillance ! Moi, par exemple, oui moi, foutu à la porte de partout après des années de bons et loyaux services, de dévouement et d'écoute, de dévotion pour Toi, oui moi, le pauvre auguste dont la femme préfère se confier à un psy plutôt qu'à un prêtre, ou même à son mari à qui elle avoue qu'elle a perdu la foi. Et puis Tu vas m'expliquer, alors là oui, je te jure que Tu vas m'expliquer pourquoi Tu n'as pas daigné sauver mon petit Claude, Toi dont le Fils a multiplié les pains et qui n'as pas été foutu de réaliser le même tour pour les globules rouges d'un petit garçon leucémique ! Un jeu d'enfant pour Toi, non ? Autrement plus facile que mes multiplications de bonbons, mes misérables tours de magie. Mais quand il s'agit de guérir une bonne sœur, cette Sidonie confite en dévotion qui n'a rien fait d'autre que de se répandre en prières pour qu'un de tes papes, et pas le meilleur, puisse coiffer une auréole, alors là oui, Tu étends ta main et la paralysée fait des claquettes !

Sous les rires et les applaudissements de son public Théo esquissa quelques maladroits enchaînements de pas qui résonnèrent sur le couvercle de sa caisse.

Tout le reste de la journée, passionné et incandescent, il déroula son implacable discours que les visiteurs de Notre-Dame suivirent avec enthousiasme, souriant, riant parfois aux éclats, mais troublés par les imprécations de celui qui ne mâchait pas ses mots face au Tout-Puissant.

Le soir venu Théo, épuisé, s'éloigna du parvis en traînant sa caisse et, se retournant, donna rendez-vous à ses auditeurs ainsi qu'au Créateur :

— Je serai là tous les matins, à la même heure !

Baptiste eut l'impression d'avoir retrouvé un emploi à plein temps : il occupait ses longues soirées à l'hôtel avec des recherches fébriles sur le Web, lesquelles lui fournissaient la matière de ses diatribes. Objet d'un étrange phénomène de dédoublement, sitôt juché sur sa caisse devant la cathédrale, possédé, il se laissait emporter par le discours enflammé d'un Théo que rien, sauf l'épuisement, ne pouvait arrêter, mais le soir venu, dans le calme retrouvé de sa chambre du *Bed and Budget*, Baptiste sortait de sa transe et utilisait ses facultés mentales avec méthode, notant sur un carnet chaque événement qui lui fournirait matière à improviser.

L'actualité qui trônait à la une et éclaboussait de sang l'écran de son ordinateur alimentait sa colère, morbide comptabilité qui instruisait un peu plus chaque jour le dossier à charge du Créateur.

« Guerre au Darfour, une dysenterie fait 500 morts dans les camps de réfugiés. »

« Attentats en Algérie, 40 morts ; incendie d'un squat vétuste à la Goutte-d'Or, 15 morts dont 7 enfants ; intoxication alimentaire dans une crèche alternative, 8 petites victimes. »

« Un prêtre irlandais avoue des abus sexuels sur 30 adolescents de son collège dans les années 80. »

« Un car de 50 pèlerins revenant de Saint-Jacques-de-Compostelle s'abîme dans un ravin, aucun survivant. »

Tout en consultant les dépêches, Baptiste envoyait à la corbeille d'un clic rageur les mails du Comité catholique contre la faim ou de Fidesco qui faisaient appel à sa générosité. Il ne parvenait plus à joindre Constance, qui filtrait sans doute ses appels et laissait le message enregistré de ses filles répondre à sa place. Il trompait sa solitude en travaillant d'arrache-pied à sa documentation et le sommeil le surprenait tard dans la nuit ; terrassé par la fatigue, il s'effondrait alors quelques heures pour reprendre au matin le chemin de la cathédrale.

Ce jour-là, il avait visionné, grâce à YouTube, un documentaire sur le Chili dans lequel une séquence était consacrée au retour triomphant d'Augusto Pinochet dans sa patrie après que sa santé, par trop défaillante, lui eut évité un procès en Grande-Bretagne. Atterré, il avait assisté à ce miracle, comparable à celui qui venait de rendre à sœur Sidonie l'usage de ses jambes, et dont plusieurs milliers de spectateurs avaient été les témoins : sitôt sur le tarmac, le vieux général agonisant s'était levé de son fauteuil roulant pour avancer d'un pas alerte vers ses admirateurs en liesse, qui versaient des larmes de joie en se signant frénétiquement. Baptiste tenait son sujet de la matinée et, à peine sur le parvis de la cathédrale, il se lança :

— Et les tyrans qui se réclament de Toi et à qui non seulement Tu permets d'accomplir des monstruosités, mais encore à qui Tu permets de vivre jusqu'à un âge canonique ? Est-ce Toi qui leur as conseillé le régime de la terreur, ce régime miracle qui conserve tellement mieux que le régime crétois et qui, de plus, délivre de tout remords ? D'ailleurs, que dire de cet étrange paradoxe, sans doute encore sorti de ta manche : ce sont les victimes qui ressentent de la culpabilité, et non les bourreaux, exemptés de ce sentiment que Tu manies pourtant si bien, inoculé à tes ouailles dès le berceau, par la seringue du Péché Originel ! Et pendant que les vieux dictateurs dorment sur leurs deux oreilles, ceux qu'ils ont torturés, ceux qui ont eu la chance de survivre à leurs persécutions, ceux-là passent le restant de leur existence à revivre chaque nuit leur supplice, pire encore : à se sentir coupables de ne pas avoir accompagné les leurs dans la mort.

A plusieurs reprises, pendant le prêche de Théo, la silhouette grise d'un bedeau avait fait son apparition dans l'entrebâillement du grand portail de la cathédrale, bientôt remplacée par l'aube blanche d'un prêtre, puis par la barrette pourpre d'un prélat, lesquels battaient en retraite à la vue du public conquis qui faisait cercle autour de l'estrade du clown.

Les encouragements et les acclamations de ses admirateurs stimulèrent une fois de plus un Théo inspiré qui poursuivit :

— Et les guerres, les massacres ? Est-ce un jeu pour Toi, quelque chose comme un Wargame sur la céleste console dont Tu tiens les manettes ? Es-Tu une sorte d'ado addict aux jeux hyper-violents et qui jouit de...

Il fut coupé dans son élan par l'arrivée d'un car de police dont surgirent deux hommes en uniforme. L'un d'eux, portant la main à la visière de sa casquette, s'adressa à lui :

— Monsieur bonjour ! Vous avez une autorisation préfectorale ?

— Une autorisation, pour quoi ? s'insurgea Théo, contrarié d'avoir été ainsi interrompu.

— Ben, pour votre spectacle ! répondit le deuxième policier, dont les paroles malheureuses déclenchèrent immédiatement la fureur du clown.

— Spectacle ! Quel spectacle ?

Hors de lui, Théo se jeta sur les policiers qui, après une brève empoignade, l'embarquèrent – ainsi que sa caisse – malgré les protestations des spectateurs indignés.

Loin de le calmer, ce brutal rappel à la réalité fit monter d'un cran l'excitation de Théo. Au dépôt, derrière les barreaux, il ne décolérait pas. Sa véhémence et ses imprécations gagnaient en intensité et ne tardèrent pas à réveiller les quelques malheureux qui partageaient sa réclusion. Le plafond jauni de la cellule ne l'empêchait pas de continuer à lever le poing vers le ciel et à proférer des menaces :

— C'est Toi qui m'as envoyé tes sbires pour m'empêcher de parler, n'est-ce pas ? C'est bien mal me connaître, tout Omniscient que Tu sois ! Tu ne me feras pas taire comme ça…

Un de ses compagnons d'infortune, aiguillonné par cette révolte, la reprit à son compte :

— Ça fait deux jours que je suis en garde à vue, pour un délit que je n'ai pas commis. Que fait la justice ? Je vais me tuer si on ne me permet pas de revoir ma famille.

Une autre voix se joignit aux deux premières :

— Si j'avais de quoi bouffer, vous croyez que j'irais voler dans les supermarchés ?

Suivie par une quatrième :

— Et moi, si j'avais du boulot, vous croyez que je braquerais des touristes devant les distributeurs de billets ?

Baptiste, à la tête de ce concert de protestations, reprit de plus belle :

— Tu les entends ? Tu vois à quelles extrémités tu pousses ces pauvres gens !

Chacun de son côté entonna de nouveau sa plainte, les différents thèmes entremêlés produisant un effet choral peu harmonieux. Un policier, excédé par cette cacophonie, la fit cesser en fermant la porte vitrée qui séparait la cellule du reste du commissariat.

Quelques instants plus tard, jeté hors du commissariat par des bras vigoureux et exaspérés, Théo se retrouva assis sur le trottoir, bientôt rejoint par sa caisse qui y atterrit avec fracas. Avec détermination, il reprit le chemin du parvis de Notre-Dame, sans prêter attention au petit groupe qui l'avait pris en chasse : l'équipe de tournage d'une grande chaîne de télévision, sans doute avertie par un informateur anonyme des mésaventures de celui que les médias allaient bientôt surnommer l'« Auguste de Dieu ».

Constance préparait le repas du soir pendant qu'au salon Jeanne et Bernadette jouaient aux cartes, indifférentes à la télévision où s'achevait le journal de 20 heures. Soudain le présentateur annonça le dossier du jour :

— Après cette actualité dramatique, un sujet plus souriant : depuis quelque temps un individu grimé en auguste fait beaucoup parler de lui autour du parvis de Notre-Dame. Ce prédicateur de cirque, cet « Auguste de Dieu » ou cet illuminé – comment faut-il l'appeler ? – présente un numéro original dans lequel il met le Créateur lui-même en accusation et il faut bien dire qu'il rencontre un certain succès auprès des touristes, mais aussi de la petite foule de ses fidèles. Nous avons demandé à Frédéric Leblanc, théologien et historien des religions, de réagir à cet événement, mais tout d'abord notre reportage…

En plan large, la silhouette de Théo juché

sur sa caisse, le poing levé vers le ciel, apparut sur l'écran, entourée d'une assemblée de curieux qui l'applaudissaient. La caméra se rapprocha du visage de l'auguste et l'on put entendre un fragment de son discours haineux envers le ciel. La voix si familière fit instantanément cesser le jeu des jumelles qui, ahuries, se rapprochèrent du téléviseur en criant à leur mère :

— Maman, maman, viens vite ! Il y a papa à la télé !

Constance, s'essuyant les mains, se précipita hors de sa cuisine et regarda, bouche bée, les images de son mari en pleine imprécation. Lorsque le reportage prit fin, le présentateur s'adressa à son invité :

— Frédéric Leblanc, bonsoir. Nous avons eu envie de vous entendre réagir face à ces images : alors, fou de Dieu ou show-man, prédicateur ou imposteur, que pensez-vous de cet étrange individu ?

— Certes, sa présentation en auguste est originale, mais quant à sa rhétorique, on peut dire qu'elle est tout de même des plus sommaires, sans appui conceptuel… Prendre Dieu à partie et le rendre responsable de toutes les souffrances absout totalement l'humanité et, dans ce sens, relève du populisme le plus évident… Alors pour répondre à votre question, cher monsieur, un prédicateur, non ! A l'évidence cet homme n'est qu'un amuseur en quête de notoriété, un auguste certes, mais sûrement pas l'« Auguste de Dieu » qu'il souhaiterait incarner, il s'en faut de beau…

Constance, très éprouvée par ce spectacle, avait saisi la télécommande et changé brutalement de chaîne. Une émission de télé-réalité vint remplacer le reportage sur Théo et les remarques désobligeantes de Frédéric Leblanc furent supplantées par les considérations philosophiques d'un groupe de jeunes gens avachis sur des canapés, au bord d'une piscine, parmi lesquels Constance reconnut, l'un à sa crête azurée, l'autre à ses piercings, Kevin et Charlyse, les protagonistes de *La Maison des secrets*, lesquels lui rappelèrent amèrement un certain magazine et l'examen de conscience du vendredi – depuis longtemps tombé dans les oubliettes – qui aurait dû lui être consacré.

Aussi bref fût-il, le reportage sur Théo produisit ses effets dès les jours suivants. Le nombre de spectateurs rassemblés pour écouter l'auguste grossit sensiblement mais surtout, devant Notre-Dame, une noria de limousines noires déchargea sa cargaison de plénipotentiaires religieux de tous horizons, venus pour tenter de s'entretenir avec l'« Auguste de Dieu ». Le grand rabbin de France, le recteur de la mosquée de Paris, un imam dépêché du Moyen-Orient pour une série de conférences dans les banlieues déshéritées, un bonze en robe safran, auxquels vint se joindre, en voisin, le cardinal Vingt-Quatre sorti de sa cathédrale. La présence de Théo leur fournissant cette occasion, ils s'étaient tous donné rendez-vous sur le parvis, dans un esprit œcuménique.

Après avoir écouté les nouvelles diatribes d'un Théo particulièrement stimulé par la présence de telles personnalités, chacun des religieux tenta de parlementer avec l'auguste, lequel refusa obstinément le dialogue et se mura dans le silence, immobile sur sa caisse comme l'un de ces mimes, grimés en statue, qui attendent, couverts de plâtre, l'aumône des passants. Très vite, sans plus lui prêter attention, les représentants de Dieu sur terre entamèrent entre eux un débat autour de la question ouverte par l'auguste : le grand rabbin ne se déclara pas si choqué par les reproches que l'orateur adressait au Créateur, ceux-ci étant fréquents lors des débats que ses coreligionnaires pouvaient entretenir avec Yahvé. L'imam laissa entendre qu'Allah, moins conciliant, n'aurait sans doute pas laissé une seconde occasion à l'auguste de cracher ses offenses, tandis que le bonze hochait la tête, ravi dans sa quiétude que toutes les opinions puissent sereinement s'exprimer. Quant au cardinal Vingt-Quatre, il n'eut pas le temps de condamner ce squat blasphématoire d'une Maison dont il avait tout de même la jouissance, interrompu qu'il fut par une violente déflagration qui les fit tous sursauter : la caisse sur laquelle l'auguste avait joué les statues venait de voler en éclats. Soufflée par une explosion, elle avait projeté Théo sur les dalles du parvis où il resta assis, étourdi, fixant l'assemblée d'un œil rond. Un attentat !

D'un même mouvement, le grand rabbin, le cardinal Vingt-Quatre et le bonze se retournèrent vers l'imam, lequel secoua la tête énergiquement, accompagnant sa protestation d'un geste de dénégation :

— Ce n'est pas moi, je vous le jure !

L'onde de choc de cette explosion bénigne, mais qui valut à Théo – outre quelques contusions – de beaux articles dans la presse, se propagea tout de même jusqu'au Vatican.

Dans un somptueux bureau Sa Sainteté était assise, face à un ordinateur. Debout à sa droite, son vicaire, un jeune prélat à lunettes d'écaille, lui en expliquait le fonctionnement et l'initiait aux mystères d'Internet.

— Voyez, Saint-Père, vous dirigez la flèche de votre souris sur le petit raccourci que vous apercevez ici et vous cliquez sur l'icône « YouTube » de votre bureau…

Le jeune geek en soutane s'apercevait depuis un moment déjà que son élève n'était pas un aigle en informatique. Il vit la tête de ce dernier s'agiter de droite à gauche et ses mains soulever un à un les dossiers qui recouvraient le cuir précieux de sa table de travail. Le saint homme leva vers son vicaire un regard interrogateur :

— Une icône, vraiment ? Sur mon bureau ? Mais où donc ?

S'efforçant de conserver son calme, le jeune prélat aux allures de premier de la classe reprit, d'un ton légèrement condescendant :

— Pas votre « vrai » bureau, Saint-Père, votre bureau virtuel... enfin votre écran, si vous préférez...

Se saisissant de la main du souverain pontife, dont il avait plutôt l'habitude de baiser l'anneau, il la guida d'une poigne sûre :

— Là, c'est bien, voilà ! Maintenant vous cliquez sur l'icône et une fois arrivé sur le site, dans la rubrique « Recherche », vous tapez ce que vous voulez. Pourquoi pas, par exemple, « Auguste de Dieu » puisque vous m'interrogiez hier sur ce phénomène. Voilà ! Ces petits écrans que vous voyez sont des vidéos enregistrées, sans doute par des amateurs qui ont assisté à son stand-up et les ont mises en ligne. Cliquons sur la première, si vous le voulez bien, Saint-Père !

Durant quelques instants le pape et le jeune prélat contemplèrent Théo saisi sur le vif au cours de l'une de ses harangues, puis défilèrent sous leurs yeux des titres de la presse française et étrangère s'intéressant au phénomène. Ils assistèrent à l'arrivée des autorités religieuses sur le parvis de Notre-Dame – sans doute filmée par l'un des spectateurs présents ce jour-là – et enfin à l'attentat au cours duquel la caisse de Théo avait explosé.

A ce spectacle le Saint-Père se figea, puis se tournant vers son vicaire :

— Rassurez-moi, Gabriel, cet attentat ne vient pas de…

— Oh, vous savez, Saint-Père, il est difficile de contrôler les cellules extrémistes, même chez nous. Cet avertissement pourrait bien être l'œuvre de Civitas, ou de la Fraternité sacerdotale Saint-Pie-X.

Un grognement difficile à interpréter fut la seule réponse du pape. Le jeune prélat, pensant qu'il était temps de s'intéresser à un autre sujet plus apte à satisfaire le Saint-Père, tapa un nouveau nom sur le moteur de recherche :

— Sœur Sidonie ! Vous avez bien sûr entendu parler de cette miraculée… Une carmélite française octogénaire qui a retrouvé l'usage de ses jambes. Voyez comme elle danse ! La validation de son miracle est en cours mais cela ne saurait tarder. Vous savez sans doute, Saint-Père, qu'elle attribue sa guérison à ses prières régulières à Sa Sainteté Pie XII…

Le pape soupira d'aise, rasséréné par cette bonne nouvelle, autrement plus palpitante que les éructations de l'illuminé parisien :

— Ah, le grand homme ! Vous voyez bien que j'ai raison de vouloir le béatifier !

Le jeune vicaire, passé sans doute, lors de ses études, par quelque subversive université, émit un toussotement dubitatif :

— Oui, sans doute... Pour elle, au moins, il aura fait quelque chose...

Il laissa sa phrase pleine de sous-entendus en suspens, essuyant un regard réprobateur du pape, lequel choisit de détourner le sujet avec un regain d'intérêt pour le maniement de l'informatique :

— Et cette petite touche, là, Gabriel, à quoi sert-elle exactement ?

Chaque soir, lorsqu'il revenait à lui, Baptiste songeait avec un effarement mêlé d'effroi à ce qui lui arrivait. Seul dans sa chambre d'hôtel, grignotant quelques fruits secs face à l'écran de son ordinateur, il repensait à la vie modeste et discrète qu'il avait menée jusqu'alors, entièrement dévouée à l'usine Amico, à ses bonnes œuvres et à sa famille : qui aurait pu prévoir que les choses tourneraient ainsi ?

Il n'était qu'un maillon entre Dieu et ceux dont il prenait soin, il ne souhaitait tirer aucune gloire de ses réalisations, sa vocation était au contraire de s'effacer derrière les actions charitables qu'il entreprenait. C'est pourquoi sa nouvelle notoriété lui pesait et, loin de lui faire oublier la liste de ses malheurs, elle soulignait au contraire le manque terrible qui entaillait chaque jour davantage son cœur blessé. Sans nouvelles de sa femme et de ses filles, il en était à envisager de faire irruption – fût-ce par la force – dans cette maison qui restait tout de même la sienne et que Constance lui avait interdite, quelles qu'en puissent être les conséquences.

Les reproches au Tout-Puissant restaient cependant sa priorité, il se devait à ses spectateurs et ne voulait pas laisser souffler Celui qui le craignait sans doute aujourd'hui autant que lui-même avait pu le faire. Peut-être pouvait-il néanmoins s'octroyer une journée de congé, pensa-t-il, pour tenter de réparer les dommages que sa mission avait fait subir à sa vie de famille.

Ce fut un coup bref frappé à la porte de sa chambre qui le sortit de ces pensées. A sa grande stupéfaction, il découvrit Constance sur le seuil, le visage grave. Croyant défaillir, il s'appuya au chambranle :

— Je peux entrer ? lui demanda sa femme, d'une voix qui ne tremblait pas.

— Evidemment, cette porte ne t'est pas interdite ! répondit-il, regrettant de s'être d'emblée montré quelque peu agressif.

Constance ignora le sous-entendu, entra dans la chambre et soupira en contemplant le costume d'auguste suspendu à un cintre.

— Je me serais bien dispensée de venir dans cet hôtel minable, mais j'avais deux informations essentielles à te communiquer, et je ne voulais pas le faire par téléphone.

D'un geste, Baptiste lui indiqua un fauteuil et lui-même s'assit sur le rebord de son lit. Constance prit une longue inspiration :

— Les filles vont très mal, Baptiste.

— Leurs bulletins scolaires sont mauvais ?

— Si ce n'était que cela ! Non, c'est ta notoriété soudaine qui ne leur vaut rien : elles se sont battues avec des copines qui se moquaient de toi, avec une violence que je ne leur connaissais pas, et puis surtout...

Baptiste sentit les battements de son cœur de père s'accélérer.

— J'ai été convoquée par le principal de Saint-François qui m'a reçue en compagnie du psychologue scolaire pour me faire part de sa très grande inquiétude suite à des comportements aberrants de nos filles !

— Mais leur attitude au collège a toujours été irréprochable ! s'exclama Baptiste.

— Jusqu'à ce que tu pètes les plombs et que tu te livres à ce cirque médiatique qui détruit ta famille ! s'enflamma Constance, les ongles enfoncés dans le tissu fleuri du fauteuil.

A ces mots Baptiste bondit sur ses pieds, des éclairs dans les yeux :

— Cirque ? De quel cirque parles-tu ?

Constance prit aussitôt sur elle, comprenant qu'il ne lui fallait pas s'aventurer sur ce terrain.

— Excuse-moi, ce n'est pas le moment d'aborder le sujet, ce sera le deuxième point, qui d'ailleurs n'est pas le moins grave, crois-moi. Pour l'instant nous parlons de nos filles et si tu veux savoir, Bernadette a parlé de s'immoler par le feu et Jeanne a cru distinguer le visage de la Vierge dans des moisissures au plafond des toilettes du collège : elle a ameuté toutes les filles de sa classe, créant une véritable hystérie collective. Il n'y a pas de quoi se faire du souci, selon toi ?

— Si, bien sûr… enfin, sauf si la Vierge Marie lui est réellement apparue.

Constance dut faire appel à toutes ses capacités de contrôle sur elle-même pour ne pas bondir. Baptiste allait décidément très mal, elle parlait à un malade.

— Quoi qu'il en soit c'est extrêmement préoccupant !

— Et qu'a dit le psychologue ? demanda Baptiste, d'un ton grinçant.

Constance ne savait si elle devait lui taire ou non la remarque du praticien, qui lui avait d'ailleurs profondément déplu. Elle choisit la sincérité :

— Il a dit que ta célébrité les perturbait

et qu'elles cherchaient sans doute à se rendre aussi intéressantes que toi. Mais il a ajouté – et si c'était une plaisanterie elle était de très mauvais goût – que Jeanne et Bernadette, dans leurs troubles, avaient inversé les rôles…

— Comment ça ? interrogea Baptiste, totalement hermétique à l'humour déplacé du psychologue.

— Ah, tu ne comprends pas ? Eh bien il trouvait bizarre que Bernadette ait choisi le bûcher et Jeanne l'apparition, voilà où il voyait l'inversion des rôles.

— Il ne va tout de même pas tenter de nous culpabiliser d'avoir choisi des prénoms de saintes pour nos filles, non ? s'emporta Baptiste, les joues en feu.

Constance lui conseilla de se calmer :

— Ce n'est pas tout, je t'ai dit que j'étais venue pour te parler de deux choses. Alors allume ton ordinateur maintenant, s'il te plaît Baptiste, on va passer au deuxième point, mais je préfère te prévenir que tu vas avoir un choc…

Baptiste obtempéra, surpris autant qu'inquiet, et mit son ordinateur sous tension. Tout en pianotant sur le clavier, Constance lui demanda :

— Tu ne regardes jamais ce que l'on dit de toi sur le Net ?

Baptiste haussa les épaules :

— Certainement pas ! J'évite même, je ne suis pas narcissique à ce point ! On peut bien dire ce qu'on veut, ça m'est égal...

Sur l'écran s'alignait la liste des titres qui lui étaient consacrés.

« Un nez rouge règle son compte au Créateur... »

« Il y a quelqu'un là-haut ? demande chaque jour l'Auguste de Dieu... »

« Des savates de clown pour botter le cul de Dieu ! »

Des pages entières renvoyaient à des sites, à des blogs ou à des forums de discussion qui utilisaient des photos ou des vidéos de Théo, dont le sourire dessiné au crayon gras se répétait jusqu'à la nausée. Indifférent, Baptiste contemplait le visage de l'auguste, comme il l'aurait fait d'un parfait inconnu. Constance s'énerva :

— Tu ne connais pas le pouvoir du Web, son incroyable influence ? Tu ne sais pas combien de milliers d'internautes consultent ces sites, entendent parler de toi, s'intéressent à tes discours ?

— Tant mieux, ça me fait encore plus d'auditeurs que sur le parvis !

— Ah oui, peut-être, si c'étaient bien tes paroles que l'on y entendait ! Mais sais-tu qu'aucun contrôle n'est exercé sur ces sites et que l'on peut y manipuler images et paroles dans le sens que l'on désire ?

Baptiste se sentit moins serein : ce que lui apprenait Constance commençait à l'inquiéter sérieusement. Elle fit le tri parmi les sites pour cliquer sur ceux qu'elle souhaitait lui montrer :

— Tiens, commençons par le plus innocent…

Il vit apparaître sa silhouette sur l'écran mais, au lieu de ses imprécations, il s'entendit vanter les mérites d'un produit démaquillant, dont la marque s'afficha en lettres lumineuses, barrant son visage barbouillé de blanc.

— Mais c'est parfaitement malhonnête ! Tu m'imagines en train de dire à Dieu qu'une lotion vient à bout des fonds de teint les plus tenaces… et que je la vaux bien ? Tu y crois ?

— Moi non, évidemment ! Mais attends, Baptiste, ceci n'est rien, juste un exemple de ta récupération par l'industrie des cosmétiques. Le plus grave est là, regarde…

Constance, après avoir de nouveau pianoté sur le moteur de recherche, s'arrêta sur un site au design grossier où une fois de plus la harangue de Théo le clown avait été détournée. Baptiste blêmit : c'était bien lui, c'était bien son image interpellant la foule, mais c'est en arabe qu'il lançait ses diatribes – sous-titrées en français – contre l'Etat d'Israël. Constance surfa encore un moment et mit sous le nez de Baptiste une nouvelle vidéo dans laquelle, cette fois, l'auguste Théo appelait en hébreu le Créateur à diriger ses foudres contre le peuple palestinien…

La mine réprobatrice, Constance considérait son mari hébété, lequel ne cessait de bredouiller qu'il n'avait jamais prononcé de telles paroles :

— Et je ne t'ai montré que deux de ces sites !

Tu as compris maintenant, Baptiste ? Ce ne sont pas tes paroles qui inspirent ces fanatiques, c'est ta colère, ta si spectaculaire colère, ta sainte colère qu'ils utilisent comme carburant pour leurs missiles. Voilà comment ils t'ont récupéré, ceux qui attisent la haine de l'autre !

Soudain, devant l'expression désemparée de son mari – un enfant puni à qui l'on fait prendre conscience de ses bêtises –, Constance fut surprise de sentir une vague de tendresse la traverser. Elle eut envie de prendre dans ses bras ce grand garçon penaud et de lui faire jouer le retour du fils prodigue. Voulant lire une demande dans les yeux de Baptiste, elle céda à la tentation d'y répondre :

— J'ai beaucoup réfléchi ces temps derniers et je me demande si tu ne pourrais pas revenir à la maison, au moins pour essayer. Tu manques à tes filles, elles te réclament, moi-même j'ai peut-être davantage besoin de toi que je ne le pensais. Il s'agira juste pour nous deux de faire des efforts, afin que ta vie spirituelle n'empiète pas trop sur notre vie de couple…

Baptiste, qui ne s'attendait pas à un tel revirement, répondit avec moins d'enthousiasme qu'elle ne l'aurait souhaité :

— C'est vrai, je me rends bien compte à quel point je vous ai négligées toutes les trois.

Tu as raison. J'en finis avec ce travail et je rentre à la maison.

— Mais quel travail ? Je croyais qu'on t'avait licencié... répondit Constance, qui commençait déjà à regretter sa proposition.

Baptiste poursuivit :

— Je ne te parle pas de la confiserie, je te parle de ce que je fais, en ce moment, c'est une tâche qui exige énormément de préparation...

Constance, sans conviction, tenta cependant une dernière avancée :

— Mais entre tes prestations à Notre-Dame, tu peux tout de même rentrer à la maison, non ?

— Je n'en suis pas sûr, je crois que j'ai besoin de solitude pour me concentrer sur mon travail...

D'une voix glacée, Constance lui demanda :

— Et combien de temps encore va durer... ce travail ?

— Mais jusqu'à ce qu'Il me réponde enfin !

Derrière la porte que Constance venait de claquer définitivement sur leurs longues années de vie commune, Baptiste, effondré, resta un long moment à se demander pourquoi sa femme avait aussi violemment réagi à sa dernière phrase.

IV

La situation matérielle et morale de Baptiste s'était dégradée de façon spectaculaire, les derniers événements ayant gravement concouru à ce désastre. La rupture sans appel avec Constance – quittant la chambre en hurlant qu'il n'était plus question qu'il les revoie, elle et ses filles – avait ouvert une plaie dont il savait qu'elle ne cicatriserait jamais. La découverte de l'utilisation frauduleuse de son image, ainsi que les multiples détournements de son message l'avaient plongé dans un profond désarroi qui, ajouté au deuil qu'il devait faire de son mariage, constituait le terreau d'une solide dépression. Mais il tenait bon, luttant âprement contre le découragement et s'attelant toujours à sa mission, cramponné à la même certitude : Dieu finirait bien par rendre gorge.

Pour ne rien arranger, le petit pécule qu'il s'était constitué avec ses modestes économies, ajouté aux quelques mois de salaire perçus au moment de son licenciement, avait fondu comme neige au soleil. Il avait dû quitter le *Bed and Budget*, dont son budget, précisément, ne lui permettait plus de régler la note : il en était réduit à dormir dans sa voiture et à fréquenter les bains publics afin de ne pas incommoder son auditoire. La faim le tenaillait et il lui fallait bien se résoudre à aller prendre ses repas chez certains des concurrents directs de l'Entraide chrétienne, l'œuvre à laquelle il participait autrefois et qu'un restant de fierté lui interdisait de fréquenter. C'est ainsi qu'il dut passer une soirée à mâchouiller des sandwiches aux rillettes dans l'assourdissant tapage d'un concert de rap, se dissimulant derrière son col relevé afin de ne pas être reconnu du père Louis Guilbert, au cas où ce dernier traînerait ses tatouages dans les parages. Il mit cependant un point d'honneur à refuser, et le verre d'alcool, et le joint qu'un bénévole affable voulut lui coller entre les mains.

L'inconfort dans lequel il vivait à présent ne lui facilitait pas la tâche, et ses soirées passées à faire le bilan de la misère humaine le laissaient courbatu, le confort du siège arrière de sa voiture ne valant pas celui du lit de son hôtel. Ses prestations s'en ressentirent, sa colère elle-même perdit en intensité, l'inspiration s'essouffla, ce qui ne manqua pas de lasser un public déjà disséminé qui, jour après jour, se fit encore plus clairsemé. Baptiste faisait la douloureuse expérience de la fragilité du succès. Il partageait le destin de toutes les vedettes de l'actualité, propulsées sur les rails d'une montagne russe : une ascension fulgurante suivie d'une chute qui l'était tout autant et si sa priorité résidait toujours dans son adresse au Tout-Puissant, la désaffection du public le privait de l'excitation nécessaire à la poursuite de sa mission.

Après avoir défrayé la chronique et provoqué une flambée de curiosité, Théo tomba peu à peu dans l'indifférence, avant de sombrer dans l'oubli. Seule éclaircie dans ce morne tableau : les orages de friandises qui troublaient ses nuits avaient cessé de répandre leur cellophane sous ses pieds et depuis qu'il donnait de la voix sur le parvis de la cathédrale, celle qui hantait ses nuits semblait s'être définitivement tue. Lui fallait-il renoncer à connaître l'identité de celui qui susurrait à son oreille ces odieux discours ?

Ce jour-là, la neige tombait à gros flocons sur le parvis désert. Théo, qui avait beaucoup perdu de sa superbe, avançait d'un pas lent, sa veste à grands carreaux trouée et décolorée, ses larges chaussures bâillant à leur extrémité. Arrivé devant sa caisse, il donna un coup de pied rageur dans les lattes disjointes, effarouchant un groupe de nonnes qui passait devant la cathédrale.

Dardant sur elles un œil furieux, il leur lança d'un ton rageur :

— Au Moulin-Rouge ! Allez donc danser le french cancan avec sœur Sidonie !

Autour de lui le parvis, abandonné par les touristes, se recouvrait d'un drap aussi immaculé qu'une nappe d'autel. Assis sur sa caisse, Théo n'en continuait pas moins de s'en prendre à Dieu, animé du peu d'énergie qu'il lui restait :

— Regarde... Ils désertent tes églises... Un peu de neige suffit pour avoir raison de leur foi ! Ils ont bien entendu mon message, ils savent maintenant à quoi s'en tenir sur ta prétendue bienveillance ! Même le Parti communiste a plus de fidèles que Toi... Mais vas-Tu me répondre, à la fin ? J'en ai soupé de ton immatérialité : envoie-moi au moins ton fils, qu'on s'explique entre hommes !

Un passant, qui s'avançait prudemment sur le sol glissant, jeta un regard au SDF dépenaillé et, compatissant à la misère de ce délirant qui s'adressait à un interlocuteur invisible, il déposa une pièce sur sa caisse avant de passer son chemin. Théo sauta sur ses pieds, virant au rouge, ramassa l'obole et se précipita à la poursuite de son bienfaiteur pour la lui rendre, à la grande surprise de ce dernier :

— Je vous ai demandé quelque chose ? Non ? Alors reprenez votre pièce ! C'est trop facile de soulager votre conscience sur mon dos pour la modique somme de deux euros.

La neige avait tourné en pluie et transformait le parvis en miroir pendant que Théo, dégoulinant, s'installait de nouveau sur sa caisse. Un couple, à l'abri d'un parapluie, passa devant lui ; tenant par la taille une splendide Africaine juchée sur des talons vertigineux, un homme en jean taille basse et blouson ajusté s'arrêta brusquement, tout à sa surprise :

— Théaux ?

Théo ouvrit un œil vague.

— Théaux ! C'est moi, Ducatel ! Vous vous souvenez ?

Les sourcils de l'auguste se froncèrent : il avait du mal à reconnaître dans le fringant quadragénaire, habillé à la dernière mode, le grisâtre adjoint au service prospective qui le harcelait avec ses malheurs conjugaux. Le nouveau Ducatel poursuivit :

— Savez-vous que j'ai mis du temps à comprendre qu'il s'agissait de vous ? Mon ancien collègue était donc devenu l'Auguste de Dieu ! Incroyable ! Mais je suis surpris de vous trouver encore là, je pensais que vous aviez arrêté depuis longtemps, on n'entend plus parler de vous dans les médias…

Baptiste, chiffonné par cette remarque et n'éprouvant aucune envie de se replonger dans des souvenirs douloureux, fit un effort pour feindre de s'intéresser à son interlocuteur :

— Ducatel, ah oui… et où en êtes-vous ? Vous avez retrouvé un emploi ? Toujours dans la confiserie ?

— Plus que jamais ! Mais je suis maintenant chez Kremor, le concurrent direct d'Amico. La boîte vient d'être rachetée par les Chinois qui veulent garder la production ici, pour bénéficier de l'image haut de gamme de la confiserie française. Et vous savez sur quoi va s'appuyer leur nouvelle stratégie ? Non ? Alors, d'après vous ?...

Baptiste, qui n'avait aucunement le désir de jouer aux devinettes avec Ducatel, donna très vite sa langue au chat. Son ancien collègue jubila :

— Sur le Bonbon Miracle ! Eh oui ! Celui dont j'ai subtilisé la formule quand j'ai été viré. Ils trouvent le produit génial, ils l'ont testé et veulent en inonder le marché asiatique.

Considérant l'aspect misérable de l'auguste, Ducatel se hasarda à lui faire une proposition :

— Je suis bien placé chez Kremor maintenant : si ça vous dit, Théaux, je peux appuyer votre candidature. Je vous dois bien ça, vous avez eu tellement raison de m'envoyer balader, à l'époque ! J'avais besoin d'un bon coup de pied aux fesses pour redémarrer une nouvelle vie, n'est-ce pas ma chérie ?

Il enlaça amoureusement sa nouvelle compagne puis, avant de s'éloigner, serrant chaleureusement la main de l'auguste, il lui glissa sa carte de visite, l'œil malicieux :

— Il faudra vous habiller autrement pour rencontrer notre DRH, hein ? Allez, réfléchissez et appelez-moi vite, d'accord ?

La rencontre avec Ducatel avait achevé de déstabiliser Baptiste. Il ne se sentit plus la force de poursuivre sa harangue et resta assis sur sa caisse, abattu. Le souvenir des années chez Amico et de son bonheur passé sonnait comme un glas, il lui sembla même que le bourdon de la cathédrale en égrenait les lugubres battements.

Comme s'il prenait subitement conscience de tout ce qu'il avait perdu, il secoua la tête et le restant de neige qui fondait sur son crâne creusa des rigoles dans le plâtre de son maquillage, lui dessinant le visage ravagé de ces clowns tristes que peignent à la chaîne les peintres montmartrois.

Un bref craquement attira son attention. Après la neige et la pluie, il crut que le ciel lui envoyait des grêlons en apercevant la petite bille blanche qui venait de s'écraser à ses pieds, bientôt suivie d'une autre, puis d'une multitude, qui éclatèrent au sol en gerbes d'éclaboussures. Il se pencha pour ramasser l'une d'elles et ses yeux s'agrandirent : au creux de sa paume fondait un Bonbon Miracle qui, très vite, n'y laissa que quelques grains de sucre !

Il s'en étonnait, l'œil rivé sur sa main, lorsqu'il perçut confusément une présence : une sombre silhouette avait traversé le parvis pour s'arrêter à sa hauteur. Sentant sur lui le poids d'un regard, il releva la tête et poussa un cri d'effroi :

— Ah non ! Pas vous !

Théo avait réprimé un haut-le-corps en découvrant devant lui le sourire de madone de sœur Sidonie. Vêtue de noir, un voile ivoire agrafé à ses cheveux, elle le fixait d'un œil empli de miséricorde. Il remarqua qu'elle tenait à la main une sorte de cabas qui lui donnait l'allure d'une ménagère de retour du marché. Elle hocha la tête et s'adressa à lui en agitant un doigt comme une mère qui s'apprête à réprimander son enfant :

— Tu ne peux pas continuer ainsi à accabler Dieu, mon fils ! Tu sais bien que notre devoir de croyants est de refréner notre colère et notre indignation, car les desseins de notre Seigneur sont impénétrables et ce n'est certainement pas à nous de les juger ! Qu'est-ce qui a bien pu te faire dévier ainsi du droit chemin de la foi ?

Théo s'emporta immédiatement :

— Parce qu'il faudrait ne pas s'indigner

devant tous ces morts ? Devant toutes ces infamies que Dieu…

Il fut coupé dans son élan par la voix soudain tranchante de la sœur :

— Tu sembles oublier un détail d'importance, mon fils ! Tous ces morts, comme tu dis, sont vivants pour l'Eternité, auprès de Lui, dans sa lumière… Mais trêve de discussion, si je suis venue te voir, c'est pour te demander de mettre fin à tes imprécations, elles nous font du mal à tous, aux croyants, à Dieu, ainsi qu'à toi-même. Bref, il est grand temps que tu te reprennes, et je t'ai apporté un présent qui pourra t'y aider, autant qu'il m'a aidée !

Elle sortit de son cabas une effigie en bronze du pape Pie XII, représentant le souverain pontife main levée, index et majeur collés en signe de bénédiction, et la lui colla dans les bras :

— Puisse le Saint-Père t'apporter le même réconfort qu'à moi, te rendre la sérénité comme il m'a rendu mes jambes et te réconcilier avec le Seigneur tout-puissant et miséricordieux ! Viens, mon fils, faisons quelques pas…

Théo, hébété, obéit à l'injonction de la sœur, peinant à caler son allure sur celle, plus alerte, de l'octogénaire, et la suivit jusqu'aux berges de la Seine, les bras chargés de son pesant cadeau. La pluie avait cessé, mais un ciel plombé recouvrait encore l'île de la Cité. Les péniches traçaient sur l'onde leur chemin calme et quelques mouettes tournoyaient au-dessus du fleuve, poussant des cris perçants. Le dos tourné, le regard perdu dans l'eau mouvante, sœur Sidonie poursuivit, méditative :

— N'imagine pas que je sois sourde à ta douleur, je peux même aller jusqu'à comprendre ta colère : elle est à l'exact opposé du doute, cette œuvre satanique, dans lequel ta révolte aurait pu te précipiter et elle prouve, au contraire, que tu crois en l'Eternel, plus que jamais. Mais cette colère, mon fils, n'est-elle pas d'abord tournée contre toi ?

— Contre moi ? Quand notre Seigneur, notre Dieu de bonté, fait mourir un gamin sur un lit d'hôpital, c'est contre moi que je serais en colère ?

— Mais oui, mon fils. En colère contre toi-même, contre ton peu de confiance dans les desseins du Créateur, alors qu'il y a juste lieu de se réjouir. Cet enfant a été choisi par la Providence, tu le croyais innocent alors que c'était un petit pécheur : c'est à présent un chérubin, heureux sur les genoux de Jésus. Allons, sois raisonnable, je sens bien que tu as vécu de terribles épreuves, mais nous en vivons tous…

Contemplant le dos de sœur Sidonie, Théo sentait depuis un moment renaître en lui une énergie qu'il croyait éteinte. La religieuse, face au fleuve, continuait son prêche :

— Et ne crois pas que j'aie été épargnée. J'ai pris moi aussi de sérieux coups sur la tête...

Ces dernières paroles résonnèrent en Théo comme une invite, à laquelle il ne résista pas : son bras, armé de la statuette, vint s'abattre sur le crâne de la miraculée qui s'effondra sur les pavés luisants. D'une poussée de l'une de ses savates éculées, il précipita le corps de la religieuse dans la Seine ; sœur Sidonie roula sur la pente du quai, avant de plonger dans les eaux grises, sa robe noire gonflée comme la voile d'un navire appareillant pour une longue traversée.

Assis sur la berge, jambes pendantes, Théo avait abandonné sa défroque d'auguste pour redevenir brutalement Baptiste et ce dernier peinait à réaliser ce qui venait de lui arriver. Il avait d'abord espéré, en s'aspergeant le visage avec l'eau sale du fleuve, que la vision de sœur Sidonie s'effacerait comme le faisait le tapis de friandises lors de ses nuits d'angoisse et que la scène du crime, lavée de tout indice, lui prouverait qu'il avait encore une fois été frappé d'hallucinations. Mais la présence d'un morceau de voile ivoire, accroché à des branchages et s'agitant sur l'onde au rythme du clapot, lui affirma clairement le contraire.

Baptiste prenait la mesure d'un acte, qu'il trouvait, à la réflexion, vertigineux : il n'était pas tant impressionné par le fait d'avoir envoyé *ad patres* une religieuse – encore que cela constituât un motif suffisant – que par l'idée d'avoir tué celle-là même que Dieu avait choisi de guérir. Pouvait-on plus frontalement s'opposer au désir du Créateur ? Pouvait-on plus directement mettre son œuvre à mal ? Ce crime dépassait en audace tous les discours que Théo avait tenus jusqu'à ce jour, toute l'insolence dont l'auguste avait fait preuve dans sa sainte colère. Baptiste venait d'accomplir un forfait plus grave encore qu'un meurtre : en supprimant une miraculée il avait eu l'effroyable outrecuidance de réduire à néant un geste divin, ce qui en faisait le vainqueur d'un bras de fer avec Dieu lui-même ! Saisi par cette évidence, il rentra la tête dans les épaules, dans l'attente du châtiment.

Le spectacle qui s'offrit à lui le plongea au contraire dans le ravissement : les nuages s'étaient écartés comme des rideaux de théâtre sur les rayons d'un soleil radieux, les oiseaux réfugiés à l'abri du froid et de la pluie accordaient maintenant leurs voix dans un joyeux concert de trilles et de sifflements. Tout semblait dire à Baptiste qu'aucune menace n'était à craindre puisque Mère Nature lui tendait les bras afin qu'il s'y réfugiât en toute quiétude.

Ce constat fit naître en lui un trouble d'une tout autre nature : était-il imaginable que Dieu lui adressât autant de signes positifs, sans même se formaliser d'un acte qui aurait dû déclencher sa formidable colère ? Non, le Seigneur ne le récompenserait pas ainsi de son épouvantable crime ! Mais alors, dans ce cas, que pouvait bien signifier cette atmosphère idyllique, sinon…

Baptiste reprit le chemin du parvis de Notre-Dame, s'efforçant de stopper net le flot de ses suppositions car celles-ci le conduisaient droit vers la créature rampante qui, pour la première fois de sa vie, se frayait un passage vers sa conscience. Cette créature – dont il craignait l'apparition plus que tout –, il lui fallut bien la nommer : c'était le doute, cette œuvre du démon qui, jusqu'à ce jour et malgré les odieuses tentatives de la Voix, n'avait jamais franchi d'une griffe la porte de sa foi ; c'était bien le sournois et perfide doute qui venait de l'effleurer et l'avait autorisé à envisager que le ciel fût peut-être vide.

Épilogue

Sais-tu, Baptiste, que ceux qui viennent la nuit habiter les rêves, qui y surgissent comme des étrangers pour y accomplir parfois d'atroces forfaits, ne sont en fait que des incarnations du rêveur lui-même ? Il en est ainsi des personnages d'un roman qui, du héros jusqu'aux figures les plus secondaires, sont tous issus de la chair de l'auteur, boules d'argile extirpées de ses entrailles et auxquelles son souffle a donné vie. Il y a donc un zeste de moi en chacun de ceux qui ont habité ce récit : toi, Baptiste, Constance, les autres et même, en ce qui concerne la cruauté, l'affreux Momo.

Je me demande pourtant, encore une fois, pourquoi je me suis ainsi défoulé sur toi. Me serais-je servi de ta personne pour régler quelques comptes personnels, avec le Très-Haut et ses adorateurs, comme avec moi-même ?

Pauvre Baptiste ! Nous voici vraiment arrivés

au bout du chemin et je me sens un peu coupable, moi qui suis pourtant responsable des mauvais traitements subis par mon personnage. Mais voilà, je me suis attaché à toi et contrairement au Dieu de l'histoire drôle que j'ai cru bon de te glisser à l'oreille – et certes pas au meilleur moment –, je me suis aperçu que je t'aimais bien, d'autant que tu m'as surpris à plusieurs reprises, quand ton libre arbitre t'a permis d'affronter avec un certain aplomb les obstacles que j'avais dressés devant toi. A partir du moment où je ne me suis plus fait entendre, tu as réellement pris ton destin en main et je me suis étonné de te voir, sous ma plume, accomplir des actions et prononcer des paroles que je n'avais pas prévues en commençant ce récit.

Mais ta marge de manœuvre reste néanmoins limitée, Baptiste, et le moment est venu : s'il t'a permis de lui échapper un moment, l'auteur se doit de reprendre la main car il lui faut conclure. Et ce sera – l'honnêteté me pousse à te le dire – pour t'assener le coup de grâce.

Dans le calme retrouvé de leur pavillon de banlieue, Constance et ses filles, après les bouleversements qu'elles avaient traversés, menaient dorénavant une vie paisible. Bien des choses avaient changé et elles évoluaient dans un quotidien libre et détendu dont toute pratique religieuse était maintenant exclue.

Les jumelles allaient beaucoup mieux, leurs inquiétantes incartades n'étaient plus qu'un mauvais souvenir et elles avaient choisi, dans un souci de modernité, de se faire appeler Jane et Berny, la première arborant une jolie mèche turquoise, la seconde un discret piercing à la narine. Elles parlaient de moins en moins de leur père, qui leur avait préféré sa folle mission, et elles faisaient chorus avec leur mère quand celle-ci affirmait que Baptiste, s'il était revenu vivre à la maison, les aurait toutes trois entraînées sur une pente fatale.

La nouvelle tomba en fin de journée. Constance et ses filles se partageaient en toute décontraction un saladier de pâtes sur la table basse du salon, devant le journal du soir, quand leurs fourchettes se figèrent à mi-chemin. Ce fut le présentateur du 20 heures, après avoir évoqué la reprise des flambées de violence au Moyen-Orient, qui leur annonça l'événement :

— Un orage d'une exceptionnelle violence et extrêmement localisé s'est déclenché en fin d'après-midi sur l'île de la Cité, très exactement au-dessus de la cathédrale Notre-Dame de Paris. Ce phénomène météorologique imprévisible et inexplicable, qui sidère nos spécialistes, s'est accompagné d'éclairs d'une intensité inouïe et la foudre, qui aurait dû logiquement se focaliser sur le paratonnerre installé au sommet de la flèche de la cathédrale, est tombée à plusieurs reprises sur le parvis, ne faisant heureusement qu'une seule victime.

La photo de Baptiste, le visage enduit de fond de teint blanc et affublé de son nez d'auguste, emplit tout à coup l'écran devant les yeux médusés de sa femme et de ses deux filles.

— Il se trouve que l'homme sur qui, par trois fois, la foudre s'est abattue n'est pas un inconnu… poursuivit le présentateur, pendant que Constance, Jane et Berny étouffaient des cris d'horreur avec leurs serviettes. Après identification du corps, que ses brûlures rendaient méconnaissable, il s'est avéré qu'il s'agissait du prédicateur qui connut son heure de gloire il y a quelque temps : Baptiste Théaux, plus connu alors sous le sobriquet de l'« Auguste de Dieu » et qui adressait à ce dernier l'interminable liste de ses reproches, jour après jour, inlassablement…

Et pour finir, le présentateur crut bon de ponctuer sa brève par une note d'humour malvenue, laquelle lui valut, dès la fin de son journal, une sévère mise au point dans le bureau du directeur de la chaîne :

— Au vu des circonstances, il semblerait bien que Dieu, quant à lui, se soit lassé…

Merci à Claude Miller, à Natalie Carter ainsi qu'à Didier Vinson, qui ont largement contribué à nourrir les mésaventures de Théo. Merci également à Tonie Marshall pour avoir cru à ce projet.

Philippe Grimbert dans Le Livre de Poche

Avec Freud au quotidien n° 33165

« Au long de ces pages, j'ai voulu chausser les lunettes de Freud pour traiter de sujets aussi divers que la politique, le tabac, le cinéma ou la chanson... et aussi de leur résonance intime avec mon parcours. Ces essais de psychanalyse appliquée à des questions de société témoignent de mon désir de comprendre les ressorts d'un monde souvent énigmatique et tentent d'en déchiffrer les enjeux inconscients. » (Ph. G.)

La Mauvaise Rencontre n° 31901

Rien n'aurait dû séparer les deux garçons, croix de bois croix de fer, à la vie à la mort. Il n'y a pas eu de rivalités imbéciles, c'est autre chose qui les a déchirés, quelque chose qui était là depuis le début, mais que personne ne pouvait encore imaginer.

La Petite Robe de Paul n° 30045

Paul n'a jamais rien caché à sa femme. Un jour, il est irrésistiblement attiré par une petite robe blanche exposée dans la vitrine d'un magasin. L'irruption de ce vêtement d'enfant dans l'univers feutré d'un couple sans histoire va soudain produire des effets dévastateurs et réveiller de vieux démons. De quels secrets la petite robe blanche est-elle venue raviver la blessure ?

Un garçon singulier n° 32661

« Maintenant que j'ai appris à le connaître, je l'aime et il m'effraie tout à la fois. Lui et sa mère vont trop loin, mais tous deux ont eu raison de mes résistances… » Une simple annonce sur les murs de la faculté a sorti Louis de sa léthargie pour le précipiter sur la plage de son enfance à la rencontre d'une mère et de son fils, deux êtres hors du commun qui vont bouleverser sa vie et l'amener à affronter ce qui dormait au plus profond de lui-même.

Un secret n° 30553

Souvent les enfants s'inventent une famille, une autre origine, d'autres parents. Le narrateur de ce livre, lui, s'est inventé un frère. Un frère aîné, plus beau, plus fort, qu'il évoque devant les copains de vacances, les étrangers, ceux qui ne vérifieront pas… Et puis un jour, il découvre la vérité, impressionnante, terrifiante presque. Et c'est alors toute une histoire familiale, lourde, complexe, qu'il lui incombe de reconstituer. Une histoire tragique qui le ramène aux temps de l'Holocauste, et des millions de disparus sur qui s'est abattue une chape de silence.

Du même auteur :

PSYCHANALYSE DE LA CHANSON, Les Belles Lettres-Archimbaud, 1996 ; Hachette Littératures, 2004.

PAS DE FUMÉE SANS FREUD. *Psychanalyse du fumeur*, Armand Colin, 1999 ; Hachette Littératures, 2002.

ÉVITEZ LE DIVAN. *Petit guide à l'usage de ceux qui tiennent à leurs symptômes,* Hachette Littératures, 2001.

LA PETITE ROBE DE PAUL, Grasset, 2001.

CHANTONS SOUS LA PSY, Hachette Littératures, 2002.

UN SECRET, Grasset, 2004.

LA MAUVAISE RENCONTRE, Grasset, 2009.

UN GARÇON SINGULIER, Grasset, 2011.

AVEC FREUD AU QUOTIDIEN, *essais de psychanalyse appliquée*, Grasset, 2012.

RUDIK, L'AUTRE NOUREEV, Plon, 2015.

Composition réalisée par NORD COMPO

Achevé d'imprimer en avril 2015, en France sur Presse Offset par
Maury Imprimeur – 45330 Malesherbes
N° d'imprimeur : 197216
Dépôt légal 1re publication : mai 2015
Librairie Générale Française – 31, rue de Fleurus – 75278 Paris Cedex 06

30/4449/5